FOLIO CADET

S.O.S. ANIMAUX

Pour en savoir plus, rendez-vous à la page 156

Traduit de l'anglais par Olivier de Broca

L'auteur remercie Jenny Oldfield et C. J. Hall, B., médecins vétérinaires,
qui ont revu les informations contenues dans ce livre.

Conception de la collection : Ben M. Baglio

ISBN : 2-07-051595-8

Titre original : *Hamster in a Hamper*

Publié pour la première fois par Hodder Children's Books, Londres, 1995

© Ben M. Baglio, 1995, pour le texte

© Éditions Gallimard Jeunesse, 1998,
pour la traduction française et les illustrations

Numéro d'édition : 83130 – N° d'impression : 41712

Loi n° 49-956 du 16 juillet 1949 sur les publications destinées à la jeunesse

Dépôt légal : février 1998

Imprimé en France sur les presses de l'imprimerie Hérissey

S.O.S. Animaux

Lucy Daniels

Le hamster de l'école

ILLUSTRÉ PAR
JEAN-MARC PAU

GALLIMARD JEUNESSE

1

Cathy Hope était assise à son pupitre, le menton entre les mains. Elle rêvait les yeux ouverts, engourdie par les rayons de soleil qui inondaient la salle de biologie. Mlle Temple rendait les cahiers de devoirs. Cathy observait Henry VIII, le hamster de l'école, qui trottait d'un bon pied dans sa roue d'exercice.

Son nom lui allait à merveille. Comme tous les hamsters, il avait la curieuse habitude de gonfler ses joues de nourriture, ce qui lui donnait un air important. Ses favoris cuivrés et sa tache blanche sur la poitrine renforçaient la ressemblance avec le célèbre roi d'Angleterre.

« Tric-a-trac-et-vrr » faisait la roue. Les pattes courtes du hamster tricotaient sans relâche. Henry était le huitième et le dernier de sa portée – d'où son nom. Mlle Temple avait donné les sept autres et décidé de garder

Henry comme mascotte de l'école. Elle lui trouvait du caractère, sans doute à cause de cette étincelle espiègle qui brillait dans ses grands yeux noirs. Parvenu à l'âge adulte, Henry faisait preuve d'une grande sociabilité : il se blottissait sans crainte dans le creux d'une main pour grignoter des flocons d'avoine et ne refusait jamais un morceau de pain complet, qu'il saisissait délicatement entre ses pattes de devant. C'était tout le problème : Henry se montrait trop familier et trop gourmand. Ceux qui approchaient sa cage pour lui faire un brin de causette ne manquaient jamais de lui glisser quelques friandises. Il engloutissait indifféremment les chips, les miettes de sandwiches ou les trognons de pomme. Rien ne le rebutait. Résultat : il était gras !

Il faut dire aussi qu'il menait une vie de pacha, à l'abri dans sa cage spacieuse, sur un rebord de fenêtre ensoleillé, entre les géraniums et les plantes vertes. Ses longues cavalcades dans la roue ne suffisaient pas à lui faire garder la ligne. Henry VIII le bouffi, le dodu, le rondouillard, accusait cent cinquante grammes sur la balance ! Un vrai hamster poids lourd !

– Cathy Hope !

La voix de Mlle Temple ramena la rêveuse sur terre.

– Cathy, tu m'entends ? Il y a quelqu'un ?

Le professeur s'approcha et, de l'index recourbé, frappa sur son pupitre.

– Tu n'as pas envie de connaître ta note ?

Cathy rougit et repoussa ses mèches blondes derrière les oreilles.

– Pardon.

Elle prit d'un air gêné le cahier qu'on lui tendait.

– Ne t'en fais pas. Plus qu'un jour avant les vacances !

Mlle Temple eut un sourire chaleureux.

– Et tu n'es pas la seule à attendre avec impatience la fin de l'année…

Cathy aimait bien le professeur de sciences naturelles, et pas seulement parce que la biologie où elle apprenait toutes sortes de faits passionnants sur les animaux était sa matière préférée. Mlle Temple était jeune et enjouée ; stricte quand elle voulait l'attention de ses élèves, mais jamais avare d'un compliment ou d'une plaisanterie. D'ailleurs, avec ses robes légères et ses cheveux châtains qui s'échappaient d'une queue de cheval, elle avait à peine l'air d'un professeur.

– Je regardais Henry faire sa gymnastique, expliqua Cathy.

Mlle Temple jeta un coup d'œil sur sa

montre et demanda à ses élèves de ranger leurs affaires.

– Ah, ce cher petit Mesocritus auratus ! C'est le nom scientifique du hamster.

Elle eut un sourire de tendresse à l'intention de Henry.

– Pas si petit que ça, à vrai dire. Il devrait vraiment se mettre au régime. A propos…

Elle frappa dans ses mains et regagna l'estrade.

– Écoutez-moi un moment, vous tous !

Au premier rang, des élèves complotaient et riaient sous cape. La fièvre de fin d'année gagnait du terrain. Vicki Simpson piqua un fard et se raidit sur le bord de sa chaise. Du regard, elle suivit le professeur qui remontait l'allée entre les pupitres. Sa voisine, Becky Severn, lui donna un coup de coude dans les côtes pour l'inviter au silence. Au même moment, Justin, le frère jumeau de Vicki, descendait de l'estrade, en arborant un large sourire sur un visage parsemé de taches de rousseurs.

Mlle Temple tapa une nouvelle fois dans ses mains et la classe se tut.

– J'ai quelque chose à vous dire avant la sonnerie.

Mais aussitôt elle s'interrompit et inclina la

tête de côté comme pour mieux tendre l'oreille.

– Qu'est-ce que c'est que ce bruit ?

Dans le silence, Cathy entendit Henry qui galopait sans faiblir dans sa roue. Tric-a-trac-et-vrr.

– C'est lui, mademoiselle ! s'écria-t-elle en désignant le hamster.

Mais Mlle Temple fronça les sourcils.

– Non, non, pas ça. Un autre bruit. Comme un bourdonnement.

Elle se pencha vers le chiffon à effacer le tableau, abandonné négligemment sur un coin de son bureau.

Cathy vit le sourire de Justin s'élargir jusqu'à ses oreilles. Quant à Vicki, elle semblait sur le point de céder au fou rire.

Mlle Temple contempla un moment le chiffon maculé de craie rouge. Le bourdonnement venait de là. Elle donna un petit coup prudent sur le morceau de feutrine, avant d'en lever un coin. Le léger vrombissement amplifia, semblable à celui d'une guêpe en furie.

Mlle Temple prit son courage à deux mains. Elle souleva le chiffon. Une créature ronde et couverte de poils détala sur ses huit pattes. Cathy écarquilla les yeux. La « créature » était une araignée géante ! Une horrible araignée flasque et duveteuse, qui frétillait et faisait entendre un drôle de ronronnement.

Vicki Simpson bondit de son siège pour mieux profiter du spectacle. Becky essaya de la retenir. Justin, lui, sauta à pieds joints sur sa chaise. La classe tournait au charivari !

L'araignée parcourut la longueur du bureau avant de buter contre une pile de cahiers. Elle se mit alors à agiter ses pattes en tous sens avec un bourdonnement courroucé.

– Hmmm…

Mlle Temple prit son ton le plus professoral.

– Nous sommes en présence d'une Arachnis dunlophobia, une espèce extrêmement rare.

Avec la pointe de son crayon, elle taquina l'insecte qui fit volte-face et avala en sens inverse la surface du bureau. Un frisson horrifié traversa la classe.

Cathy fixait l'étrange créature. Son corps était couvert d'affreuses taches jaunes, ses pattes fines et poilues semblaient mues par un mécanisme d'horloge. Ah ! Les yeux de Cathy rencontrèrent ceux de Mlle Temple. Un mécanisme…

– Du calme tout le monde, ordonna le professeur. Justin, descend de ta chaise, je te prie.

Elle alla prendre un gros bocal sur l'éta‐
gère derrière son bureau.

– Je veux ce spécimen vivant.

D'un geste vif, elle emprisonna l'araignée sous la cloche de verre. Le bourdonnement ne parvint plus qu'étouffé. Les pattes grattaient en vain contre la paroi. L'araignée bascula sur le dos.

Puis le vrombissement s'estompa.

– Elle est morte, mademoiselle ? demanda Justin, tout en décochant un sourire complice à sa sœur.

– Non, Justin. L'Arachnis dunlophobia est une espèce très résistante.

Soulevant délicatement le bocal, elle prit l'animal entre le pouce et l'index.

– Il me suffit de tourner ce petit bouton, ici, et je suis sûre qu'elle va reprendre du poil de la bête !

Mlle Temple remonta le ressort du jouet en plastique et le replaça sur le bureau. Comme annoncé, l'araignée se remit à parcourir le bureau en ligne droite.

– Oh ! soupira Becky Severn en se ras‐ seyant sur sa chaise et en s'éventant le visage. C'est un attrape-nigaud !

Vicki se mordit la lèvre, guettant la réac‐ tion de Mlle Temple. Justin attendait calme‐

11

mains dans les poches, un sourire figé

visage rond.

le Temple le regarda en haussant le sourcil.

– Quel dommage, Justin ! Moi qui croyais avoir fait une intéressante découverte scientifique. Ça nous aurait valu le prix Nobel, au moins…

Justin ricanait toujours. Mais lorsque Mlle Temple rangea l'araignée dans son tiroir, les pattes encore frémissantes, son visage se décomposa.

– Hé, mademoiselle, elle est à moi, l'araignée !

Elle lui fit signe de se taire.

– Je sais pertinemment qu'elle est à toi, Justin. Mais je vais la garder sous étroite surveillance jusqu'à ce soir, si ça ne te dérange pas. En attendant, rends-toi donc utile.

Elle prit le chiffon et le lui lança dans un nuage de craie.

– Fais-moi le plaisir d'effacer le tableau pendant que je m'adresse à tes camarades. Toi et moi, nous aurons une petite conversation après la sonnerie.

Justin aurait voulu protester, mais Mlle Temple avait déjà remporté la partie. Sans laisser paraître le moindre signe de panique, elle avait su retourner la plaisanterie contre son auteur. Elle attendit que Justin se mette au travail avant de prendre la parole.

« Bien fait pour toi », songea Cathy. Justin était un petit prétentieux qui jouait les durs. Mais Mlle Temple l'avait bien renvoyé dans les cordes. Vicki, sa sœur jumelle, se tassa sur sa chaise, la tête baissée. Peu à peu, le calme se rétablit.

– C'est au sujet de Henry, commença Mlle Temple. Nous devons lui trouver un foyer d'accueil pour la durée des vacances.

Un murmure se répandit à travers la classe. Le professeur leva les mains pour demander le silence.

– Demain soir après l'école, l'un d'entre vous emportera la cage chez lui et prendra soin de Henry pendant six semaines. De préférence quelqu'un qui ne part pas en vacances. Une personne de confiance, qui changera sa litière tous les jours, qui lui tiendra compagnie, qui veillera à ce qu'il ait sa dose quotidienne d'exercice et de nourriture.

Avec un soupir, Cathy se tourna vers Henry. Il avait arrêté sa gymnastique et regagné le plancher de sa cage pour se lécher le poil. Son beau pelage couleur de marmelade d'orange luisait au soleil. Il la regardait de ses yeux myopes, noirs et brillants comme des billes. Son nez et ses favoris frémissaient. « Si seulement… », pensa Cathy. S'occuper de lui pendant l'été, ce serait formidable. Mais absolument impossible. Ses parents, vétérinaires à l'Arche des Animaux, avaient pour règle de ne jamais accepter de pensionnaires en plus de leurs patients ; ni chats errants, ni chats ou chiens laissés en pension par des amis, ni orphelins trouvés dans la nature.

– Nous ne sommes pas une fourrière, Cathy, disait toujours sa mère, d'une voix douce mais ferme. Nous sommes des vétérinaires. Aucune surcharge de responsabilités, souviens-toi. Nous en avons bien assez comme ça.

Même si cela l'attristait, Cathy reconnaissait que ses parents n'avaient pas tort de s'imposer cette règle stricte.

– Cette personne devra nourrir Henry selon un régime approprié : céréales, biscottes, noix, fruits et légumes, et surtout pas trop de gâteries entre les repas !

Mlle Temple marqua une pause pour bien insister sur ce point.

– Il doit toujours y avoir de l'eau potable propre dans sa cage. Et il faudra faire bien attention à le tenir enfermé la nuit. Car c'est la nuit que les hamsters s'échappent pour faire leurs bêtises, si on n'y prend pas garde.

« C'est donc une mission de responsabilité. Si vous vous sentez de taille à l'assumer, écrivez votre nom sur un bout de papier que vous me remettrez en sortant du labo. Je mettrai les noms des candidats dans un chapeau. Celui qui sera tiré au sort sera l'heureux gagnant. Je compte procéder au tirage demain matin : vous passerez voir si vous avez eu de la chance. Si c'est le cas, vous pourrez emporter Henry avec vous dans l'après-midi.

Mlle Temple terminait sa phrase lorsque la sonnerie retentit. Les chaises raclèrent le sol, les élèves empoignèrent leurs cartables et se dirigèrent en rangs d'oignons vers la porte. Mlle Temple prit Justin à l'écart pour le sermonner, puis lui rendit sa liberté. Il sortit en traînant les pieds. Cathy laissa échapper un nouveau soupir en remarquant les cinq ou six élèves qui faisaient la queue pour tendre à Mlle Temple leur bout de papier. Vicki Simpson et Becky Severn étaient de ceux-là. Elle se faufila discrètement vers la porte.

– Et toi, Cathy ? s'enquit Mlle Temple, sachant à quel point elle aimait les animaux.

– Désolée, mademoiselle, mais je ne peux pas.

– Tu pars en vacances ?

Cathy secoua la tête.

– Non. C'est juste qu'on a déjà assez d'animaux à surveiller comme ça.

– Je vois. Alors tu ne peux pas le prendre ?

Cathy haussa les épaules, mais soudain une idée lui traversa l'esprit tandis qu'elle jetait un dernier regard vers Henry, toujours occupé à lustrer son poil.

– Non, dit-elle, soudain enthousiaste. Mais je connais quelqu'un qui pourrait s'en charger !

2

– James ! appela Cathy.

Le couloir grouillait d'enfants qui se bous-
culaient vers la cour de récréation. Cathy
venait d'apercevoir le visage de son ami, avec
son bol de cheveux châtains et ses lunettes
rondes.

– Attends-moi !

Elle se fraya un chemin à travers la cohue.

Il se retourna et lui sourit.

– Salut, Cathy !

Il dit à ses amis de continuer sans lui.

– Il y a le feu ? demanda-t-il quand Cathy
arriva à sa hauteur.

– Presque. Écoute ça !

Ses yeux bleus pétillaient.

– Tu connais Henry ?

– Henry comment ?

– Henry VIII.

– Bien sûr. C'est celui qui a eu six femmes, pas vrai ? Et qui les a tuées les unes après les autres, sous un prétexte quelconque !

La lueur derrière ses lunettes montrait qu'il plaisantait.

– Non, pas celui-là. Notre Henry VIII, celui de l'école ! Henry le hamster !

– Oh, fit James en se croisant les bras. J'aurais dû m'en douter : il n'y a qu'un animal pour te mettre dans tous tes états.

Les élèves heurtaient Cathy de leurs cartables, impatients de s'éparpiller dans la cour ensoleillée.

– Je ne suis pas dans tous mes états ! protesta Cathy.

Puis elle sourit :

– Bon, d'accord, tu as peut-être raison. Mais écoute plutôt : je viens d'avoir une idée fabuleuse !

James leva les yeux au ciel.

– Aïe, aïe, aïe…

Elle l'attrapa par le coude.

– Mlle Temple cherche quelqu'un pour garder Henry pendant les vacances. J'aimerais bien me proposer mais c'est impossible : tu sais que papa et maman ont fixé cette règle stricte au sujet des animaux. Mais j'ai pensé que toi, tu pouvais prendre Henry ! Ce serait fantastique, non ? Je t'aiderai. Je sais bien que tu es parfaitement capable de te débrouiller seul, mais ce serait génial si on pouvait le faire ensemble. Si tes parents sont d'accord, bien sûr, et si ça t'intéresse…

– Hé ! s'exclama James en levant les mains pour interrompre ce flot de paroles. Du calme…

Mais Cathy ne fit que reprendre son souffle :

– Quel est le problème ? Tu ne veux pas t'occuper de Henry ? Il est si mignon ! Et il a un caractère très original. Les hamsters ont besoin de compagnie : je pourrai passer presque tous les jours pour te donner un coup de main. Promis, je ne te laisserai pas tomber…

Le moulin à paroles s'arrêta enfin. Cathy sentit ses joues s'enflammer. Elle était là à s'emballer pendant que James se tenait, bras croisés, au milieu du couloir.

– Ne nous affolons pas, dit-il.

– Mais si, au contraire ! James, il faut que tu te décides maintenant. Mlle Temple est en train de recruter les volontaires dans le labo. Elle doit mélanger tous les noms dans un chapeau et en tirer un. Si on ne se dépêche pas, elle aura déjà regagné la salle des profs.

L'enthousiasme de Cathy semblait tomber
à plat.

– Tu ne veux pas inscrire ton nom sur la
liste ?

– C'est déjà fait ! rétorqua James.

– Quoi ?

– On a eu biologie ce matin en première
heure. Mlle Temple nous a demandé la même
chose qu'à vous. J'ai été le premier à me porter candidat.

– Pour t'occuper de Henry ?

Il hocha la tête sous l'œil interloqué de son
amie.

– Les grands esprits se rencontrent. Quand
Mlle Temple a annoncé que Henry avait
besoin d'un foyer pour l'été, je me suis dit
tout de suite : « Cathy et moi ».

Ils descendirent les marches du perron.

– Tu crois qu'on a une chance, James ?
Henry est très demandé…

Elle jeta un œil par la fenêtre vers la file de
ceux qui attendaient encore de donner leur
nom à Mlle Temple.

James haussa les épaules.

– Il faut « penser positif » : on a au moins
une chance que mon nom soit tiré…

– D'accord. Dès que tu rentres, tu
demandes la permission à tes parents ?

Le soleil qui martelait la cour de récréation ramollissait le bitume. Cathy s'éventa le visage.

– Promis, répondit James. Ça te dirait un match de tennis après le thé ?

– S'il ne fait pas trop chaud.

Ils se donnèrent rendez-vous plus tard sur les courts de tennis en bordure de la rivière.

– Tu crois qu'ils diront oui ?

– Pour Henry ? Oui, sans doute. On a déjà Blackie et Eric à la maison. Un petit hamster en plus, quelle différence ?

Cathy sourit. C'est que Henry n'était pas un hamster comme les autres. Il avait dans l'idée qu'il allait exiger beaucoup d'attention. Mais M. et Mme Hunter n'avaient pas besoin de connaître tous les détails de l'affaire. Sans compter qu'il ne fallait pas vendre la peau de l'ours avant de l'avoir tué : le tirage au sort n'avait pas encore désigné l'heureux élu...

Cathy était allongée sur la terrasse à l'arrière du pavillon.

De la pièce contiguë au cabinet de consultation lui parvenait des aboiements et divers cris d'animaux. C'est là que les patients de l'Arche des Animaux passaient la nuit en observation, pour récupérer d'une opération ou dans l'attente du diagnostic de M. ou Mme Hope.

Cathy étouffa un bâillement. Le soleil avait décliné, mais la fin d'après-midi restait chaude. Dans le jardin, son père fredonnait en arrosant les fleurs.

– *Summertime*..., chantait-il d'une voix grave et inspirée. *And the livin' is easy...*

Adam Hope s'amusait à prendre l'accent nonchalant du Mississipi. Sur sa chaise longue, Cathy se laissa bercer.

So hush little baby,
Don't you cry !

Il mima un solo de saxophone tout en arrosant un parterre d'œillets qui piquaient du nez sous la canicule. Soudain, il tourna l'extrémité du tuyau en direction de Cathy. Des gouttes d'eau froide tombèrent en pluie sur son tee-shirt blanc et sur son visage brûlant. Elle jaillit de sa chaise en poussant un cri.

– Papa !

Les mains en parapluie au-dessus de la tête, elle traversa la pelouse d'un trait pour se réfugier derrière le pommier.

Adam Hope, qui braquait son tuyau comme un pompier sa lance d'incendie, aspergea abondamment le tronc et le feuillage.

– Maman, au secours !

Vêtue d'un short bleu et d'un chemisier blanc sans manches, Emily Hope apparut sur le seuil de la porte-fenêtre, mains sur les hanches, sourire aux lèvres. Cathy risqua un œil hors de sa cachette. Pris dans la toile du jet d'eau, le soleil se décomposait en milliers de gouttes aux couleurs de l'arc-en-ciel.

– Papa ! implora-t-elle encore.

Elle était déjà trempée jusqu'aux os.

Son père tira sur le tuyau une fois de trop. Le serpent de caoutchouc se tendit à bloc, puis se coupa à l'endroit où une bague de métal reliait deux sections. Un geyser s'éleva, qui inonda Adam Hope de la tête aux pieds.

Avec un cri de triomphe, Cathy sortit en titubant sur la pelouse. Elle riait tellement qu'elle en avait un point de côté.

– C'est l'arroseur arrosé !

L'eau dégoulinait le long de ses cheveux et de sa barbe brune.

– Ça t'apprendra à me déranger quand je bronze.

Sur la terrasse, Mme Hope éteignit le robinet. Elle disparut dans la cuisine pour revenir bientôt avec deux serviettes qu'elle jeta à son mari et à Cathy.

– Méfie-toi de ton père quand il a un tuyau

à la main. Il ne résiste pas à la tentation de le pointer sur le premier venu. Tu te rappelles quand tu étais petite ? Lorsqu'il faisait beau, j'avais à peine le temps de sortir la piscine en caoutchouc que ton père était déjà dehors en maillot de bains. Il voulait la remplir à ma place. Mais dès que j'avais le dos tourné, il se mettait à asperger tous ceux qui étaient à sa portée.

Rires de Cathy, soupir de son père :

– Bah, la jeunesse ne dure qu'un temps !

– Tu as bien raison ! approuva Cathy.

Ses cheveux essuyés, elle mit sa serviette à sécher sur une branche.

– Ça me rappelle une conversation que j'ai eue en début d'après-midi avec Sam Western, dans mon cabinet, dit M. Hope, soudain plus sérieux.

Il passa un bras autour des épaules de sa femme et ils regagnèrent la maison.

– C'était à propos de s'amuser tant qu'on est jeunes...

Cathy n'écoutait plus que d'une oreille. Sam Western possédait une grosse ferme du côté de High Cross. Ses manières brutales et ses rodomontades lui valaient de nombreux ennemis mais il restait une figure influente dans le village. Cathy se désintéressait de lui parce que de son côté il ne s'intéressait pas beaucoup à ces animaux qu'elle aimait tant. Elle rassembla ses affaires de tennis pendant que son père continuait à raconter.

– … Apparemment, Sam Western a l'intention de lancer une pétition. La mairie a autorisé Bert Burnley à ouvrir un camping pour caravanes dans son pré en bord de rivière. Une école de Birmingham veut y installer un camp de vacances pour ses élèves. Mais d'après Sam Western, le projet se heurte à une forte opposition des résidents… Mme Ponsonby, Mme Parker Smythe, la clique habituelle, quoi.

M. Hope ôta son tee-shirt trempé. Il l'essora et le laissa à sécher sur la chaise longue.

Cathy donna un rapide baiser à sa mère.

– Que peuvent-ils faire si le conseil municipal a déjà donné son autorisation ? demanda Emily.

De la main, elle fit au revoir à sa fille.

– Ne rentre pas trop tard, ma chérie.

– Tu connais Sam Western. Il ne supporte pas qu'on lui tienne tête. S'il est contre ce projet de camping, ce n'est pas un simple conseil municipal qui va réussir à l'intimider. Il a l'intention d'organiser une manifestation ou quelque chose dans ce goût-là à l'arrivée des caravanes. Il m'a demandé de signer sa pétition pour empêcher que cet endroit devienne un site de loisirs. Il prétend que ces jeunes citadins vont dégrader l'image du village.

Emily fronça les sourcils.

– Tu n'as pas signé, j'espère ?

– Bien sûr que non. Et je lui ai dit qu'il ferait bien de ne pas enfreindre la loi. Si la mairie a donné son accord, il n'a plus qu'à s'y résigner.

– Qu'est-ce qu'il t'a répondu ?

– Qu'il allait faire en sorte que le conseil municipal soit plus à l'écoute des résidents.

Cathy détacha le cadenas de son vélo. La conversation l'intéressait depuis qu'il était question d'un groupe d'enfants venant séjourner à Welford. Un camp d'été ? Des caravanes près de la rivière ? Voilà qui pouvait être amusant. Il y aurait des visages nouveaux dans le village, des enfants de son âge.

– Je suis moi aussi une résidente, dit Mme Hope avec détermination, et en ce qui me concerne, je trouve que c'est une excellente idée !

– Je suis de ton avis, dit M. Hope. Ne t'inquiète pas, je vois mal ce que pourrait tenter Sam Western.

– Quand doivent arriver les caravanes ?

– Après-demain. Samedi.

Ce fut les derniers mots qu'entendit Cathy avant de descendre l'allée en roue libre. Bientôt, elle longeait les hautes haies d'aubépines en direction du village.

La maison des Hunter était située près de la rivière, de l'autre côté de Welford. Avec souplesse, Cathy pédala en lisière d'un grand champ piqueté de boutons d'or et de marguerites. Au fond, on distinguait une barrière et de l'autre côté, en pente légère vers la rivière, quelques arpents où Bert Burnley faisait parfois paître un troupeau de vaches frisonnes. Mais la plupart du temps, le champ était laissé en friche, véritable paradis pour les lapins et les taupes, qui pouvaient batifoler librement parmi les hautes herbes. Cathy réalisa soudain que c'était l'endroit prévu pour les caravanes.

Deux hommes descendaient justement d'une camionnette rouge. Le premier avait un marteau à la main, le second portait sur l'épaule un poteau surmonté d'une pancarte blanche. Cathy put lire les mots écrits en lettres majuscules : « CAMPING DE LA RIVIÈRE ». Les deux hommes fichèrent le poteau en terre à l'entrée du champ. Alors que Cathy franchissait les derniers cinquante mètres qui la séparaient de chez James, elle entendit les coups sourds du marteau qui enfonçait le pieu dans le sol.

« Très bien ! » songea-t-elle. C'était la preuve que le camp de vacances était toujours à l'ordre du jour. « Je me demande si James est au courant qu'un groupe d'enfants va s'installer juste en face de chez lui. » Elle courut à l'intérieur pour lui annoncer la nouvelle.

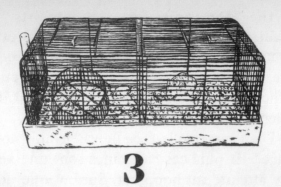

3

– Génial !

Pour James comme pour Cathy, l'arrivée prochaine des caravanes était une bonne nouvelle.

– J'ai toujours rêvé d'habiter dans une roulotte.

Il prit sa raquette, puis les deux amis se dirigèrent vers les courts de tennis.

Ils y trouvèrent la mère de James, qui, en ce début de soirée, échangeait mollement quelques balles avec Mme Parker Smythe, de la Tour du Guet. Les Parker Smythe étaient de riches voisins de Sam Western, et Cathy ne fut pas surprise d'entendre le sujet de conversation entre les deux femmes qui, leur partie terminée, quittaient le court pour souffler.

– C'est une honte !

La voix haut perchée de Mme Parker

Smythe dominait les claquements de raquettes sur les courts voisins. Elle était toute pimpante dans sa jupette blanche, et sa mise en plis ne laissait échapper aucune mèche rebelle. Elle parlait en articulant distinctement chaque syllabe.

– Dieu sait quelle racaille va envahir notre village ! Et puis ces caravanes sont une véritable atteinte au bon goût. Surtout que nous risquons de les voir depuis notre maison ! Et ces jeunes qui viennent des banlieues : je vous laisse imaginer les dégâts qu'ils vont causer quand ils seront lâchés comme des fauves dans notre petit village de Welford. Votre maison donne sur le pré, n'est-ce pas ? Vous devez être folle de rage…

La mine renfrognée, Cathy trottina jusqu'au filet pour retirer deux balles qui s'y étaient fichées.

Mme Parker Smythe faisait son numéro de snob, comme à son habitude.

– Justement, non, répondit Mme Hunter d'une voix plus posée. C'est vrai, nous n'étions pas très favorables à l'implantation de ces caravanes quand on nous a annoncé la nouvelle. Mais ensuite on a compris que c'était seulement le temps des vacances. On s'est dit qu'après tout c'était une occasion formidable. D'abord pour ces gamins qui vont passer l'été ici, ensuite pour James et pour tous les enfants du village. Il est temps d'élargir leur horizon, vous ne trouvez pas ?

Elle regarda Mme Parker Smythe dans les yeux, pour donner plus de poids à son opinion. Avant de partir, elle adressa un clin d'œil à James et Cathy.

– Mais enfin…, bredouilla Mme Parker Smythe, qui resta plantée sur place.

Elle fouetta le gazon d'un coup de raquette puis fusilla Cathy du regard.

– Il y a des tas de gens dans ce village qui ne sont pas de cet avis ! lança-t-elle à qui voulait entendre, avant de s'élancer sur les talons de Mme Hunter.

Cathy et James disputèrent un tennis rapide et plein de vigueur, en dépit de la chaleur. A un set partout, ils déclarèrent la partie nulle et se promirent de jouer le set de la victoire la prochaine fois. Puis ils s'effondrèrent au pied du filet pour boire le jus d'orange que Cathy avait apporté dans son sac.

– Une glace, ça te dirait ? demanda James.

Cathy fit oui de la tête. Bientôt, ils filaient sur leur vélo en direction du village.

– Je suis bien contente que ta mère ait rabattu le caquet de Mme Parker Smythe, dit

Cathy tandis qu'ils passaient à hauteur de la pancarte.

Elle savait pourtant que ni M. Western ni Mme Parker Smythe n'étaient du genre à jeter l'éponge au premier obstacle. Aussi ne fut-elle pas autrement surprise lorsqu'elle découvrit devant la poste, sur la place du village, un petit groupe rassemblé autour de la voiture gris métallisé de Mme Parker Smythe. Les déclarations fusaient, les passions s'échauffaient.

– C'est un scandale ! proclamait Mme Ponsonby.

Pandora, son pékinois, grognait à ses pieds.

– Le village va être livré aux étrangers ! Ces jeunes des banlieues ne connaissent rien de la vie à la campagne ! Ils vont laisser les barrières ouvertes, les bêtes vont se disperser sur les routes. Ils ne respecteront pas les sentiers publics, ils vont escalader les murs !

Pour un peu, cette langue de vipère aurait fait passé ces infractions mineures pour des crimes passibles de la pendaison.

– Et Dieu sait encore quelles horreurs ils vont commettre, croyez-moi !

Cathy descendit de son vélo devant le groupe et s'arrêta un instant pour caresser Pandora et Toby, l'adorable bâtard de Mme

Ponsonby. Assis sur un banc devant le bureau de poste, Ernie Bell écoutait en silence. Il secoua la tête.

— Vous feriez peut-être bien de ne pas monter sur vos grands chevaux, prévint-il. Quand on veut se débarrasser de son chien, on dit qu'il a la rage.

Ce carambolage de métaphores fit surgir dans l'esprit de Cathy un attelage baroque composé de chiens et de chevaux, mais sur le fond elle était d'accord : il convenait d'accueillir les visiteurs sans a priori. Elle suivit James dans la fraîcheur de la boutique des McFarlane. Quand ils sortirent, une glace à la main, Mme Parker Smythe était encore occupée à recruter des renforts pour sa campagne anti-caravanes.

— Notre premier objectif sera de les empêcher de s'installer sur le site. M. Burnley a beau agiter partout son autorisation municipale, il agit au mépris d'une grande partie de l'opinion locale.

Mme Ponsonby hocha la tête en signe d'approbation. Toby, que ces palabres ennuyaient, trotta jusqu'à Cathy. La langue pendante, il s'assit à ses pieds et fit les yeux doux à son cornet de glace.

— Les premières caravanes sont attendues samedi matin, continuait Mme Parker

Smythe. Notre plan consiste à leur interdire l'accès au pré. M. Western demandera à ses employés de garer leurs tracteurs devant la barrière. Mais nous devons être tous présents pour les soutenir !

Ernie se racla la gorge.

– Et se faire embarquer dans un panier à salade, direction le commissariat de Walton ? lança-t-il au petit groupe. La loi interdit de bloquer une voie publique, je vous signale !

Cathy et James approuvèrent. Attentive aux débats, elle inclina involontairement son cornet de glace, dont le contenu à moitié fondu s'échappa. Il n'eut même pas le temps de toucher terre : Toby l'attrapa au vol comme un joueur de cricket plongeant pour saisir la balle avant le rebond. Il l'avala d'un seul coup de langue. Cathy poussa une exclamation de stupeur.

– Chut ! fit James.

Si Mme Ponsonby s'en apercevait, elle était capable de transporter Toby de toute urgence à l'Arche des Animaux en invoquant une crise aiguë d'intoxication frigorifique ! Pandora, qui ne voulait pas être en reste, se rapprocha et lorgna la glace de James.

– Nous devons être prêts à nous battre pour défendre nos valeurs !

Mme Ponsonby prenait la relève de la harangue contre les caravanes.

– Nous devons affirmer haut et fort que Welford est contre les changements de cette nature, décrétés sans consultation !

Elle projetait en avant son double menton et raidissait les épaules comme un soldat dans un défilé. L'indignation faisait frémir les franges de sa robe bleu pétrole.

James glissa à Pandora les restes de son cornet. Il avait fini par craquer devant les grands yeux noirs du Pékinois. La glace disparut en un éclair.

– Toby, Pandora, ici ! appela Mme Ponsonby en claquant des mains. Venez, mes toutous !

Les interpellés baillèrent à l'unisson, ignorant cette injonction.

– Allez, Pandora ! murmura Cathy. Allez, Toby !

Obéissant à contrecœur, ils trottèrent vers leur maîtresse.

Mme Parker Smythe s'éloigna en voiture, tandis que Mme Ponsonby remontait la rue, tête haute. Les villageois se dispersèrent en grommelant des paroles incompréhensibles à propos du camping.

Sur son banc, Ernie se grattait le crâne. Il se tourna vers James et Cathy.

– Il y a des gens ici qui n'ont rien de mieux à faire que de se mettre dans le pétrin, maugréa-t-il. Vous connaissez le proverbe : « l'oisiveté est mère de tous les vices ».

La rue se vida. Le soleil couchant teintait le ciel de rouge. Cathy dit au revoir à James, avant de reprendre le chemin de la maison.

– Et croisons les doigts…

Elle venait tout à coup de songer à ce qui comptait vraiment dans la vie : les animaux, et, en particulier, l'espoir de recevoir la garde de Henry.

– Demain matin, on sera fixé, lui rappela James.

– Tâche d'arriver à l'école dix minutes en avance. Pour voir si Mlle Temple a tiré au sort le gagnant.

Ils convinrent de se retrouver devant la poste à huit heures du matin, puis chacun reprit sa route. James adressa un signe de la main à Ernie. Il passa devant la pancarte du camping, puis tourna à droite dans son allée. Cathy filait face au soleil couchant. Sur les conseils de James, elle s'efforçait de « penser positif » :

– Nous aurons de la chance, se répétait-elle. Nous aurons de la chance et nous garderons Henry pendant les vacances.

Ils se retrouvèrent tous devant le labo de biologie, avant l'appel du matin : il y avait là Cathy et James, Vicki Simpson et son amie Becky Severn, Brandon Gill qui habitait à la ferme de Greystone... En tout, Cathy compta vingt-trois candidats, impatients de savoir à qui allait revenir la mascotte de l'école.

Elle jeta un œil par la fenêtre du labo encore désert. Dans un coin, elle aperçut la cage de Henry ; une cage spacieuse, en bois, avec une paroi de verre amovible devant et un couvercle en treillage métallique. La boîte était divisée en deux : une section couverte de paille fraîche, avec un bol dans un coin, et un étage fermé auquel Henry accédait par une rampe. C'est dans cette chambre qu'il faisait ses nombreuses siestes pendant la journée. Dans un autre coin se trouvait, bien sûr, la roue d'exercice.

Et Henry trottait inlassablement. Il ressemblait à un homme un peu court sur pattes en train de faire son jogging matinal pour entretenir sa forme. Cathy montra la cage du doigt à James.

– Regarde-le !

– Ça va lui faire du bien. On a calculé que les hamsters pouvait parcourir jusqu'à huit kilomètres par nuit sur ces roues.

– Huit kilomètres ? Mais alors pourquoi il est si gros ?

– Je n'ai pas dit que Henry courait cette distance. Peut-être qu'il va dans la roue seulement quand il sait qu'on le regarde, pour la frime. Je parie qu'il passe ses nuits à grignoter et à ronfler.

– Tu veux dire qu'il serait paresseux ? s'indigna Cathy. A mon avis, ce n'est pas de sa faute s'il est aussi grassouillet.

– La faute à qui, alors ?

– A tous ceux qui lui donnent les chips de leur déjeuner, tiens ! Tu ne vas quand même pas reprocher à un pauvre petit hamster de ne pas s'y connaître en diététique ?

– Hmm. Tu as peut-être raison.

Cathy jeta un œil dans le couloir.

– Dépêchez-vous, Mlle Temple !

Vicki Simpson était en train de faire des messes basses avec Becky. Sans y prêter attention, Cathy adressa un sourire à Brandon.

– Comment va Ruby ?

Ruby était la truie de Brandon.

– Bien, répondit celui-ci. On va à Walton ce week-end pour une foire. Je crois qu'on a une chance de remporter un prix.

Cathy lui souhaitait bonne chance lorsque Mlle Temple apparut au bout du couloir. Elle s'avança d'un pas rapide. Le silence se fit, tous les yeux étaient rivés sur le professeur. Celle-ci ouvrit le labo et invita les élèves à entrer.

– Asseyez-vous.

Elle posa son sac et se tourna vers eux.

– Je n'ai pas encore effectué le tirage au sort. Je voulais que vous soyez tous témoins de la régularité de l'opération.

Elle prit une corbeille en carton.

– Comme je n'ai pas de chapeau, ceci fera l'affaire. Tous les noms sont dedans, sur des bouts de papier pliés.

Cathy fixait des yeux la boîte.

– Pourvu que la chance soit avec nous ! se répétait-elle en silence.

– La cloche va bientôt sonner l'appel, dit Mlle Temple. Qui veut tirer le gagnant ?

Une forêt de mains se leva aussitôt.

– Becky, tu es la plus près. Viens.

Mlle Temple tint la corbeille un peu haute afin que Becky ne puisse en voir le contenu.

– Tends la main et prends un papier. Voilà.

Becky se hissa sur la pointe des pieds. Les doigts croisés, Cathy retenait son souffle. Becky remit le papier à Mlle Temple qui l'ouvrit à plat sur le bureau. Son regard balaya la classe.

– James Hunter !

James faillit s'étrangler. Cathy n'en croyait pas ses oreilles. Plusieurs élèves esquissèrent des sourires désabusés et sortirent, la mine un peu déconfite. A la porte, Mlle Temple tâchait de réconforter les malchanceux. Les sourcils froncés, Becky souffla à Vicki :

– C'est louche. Un peu gros comme coïncidence… Cathy est la chouchou du prof, tout le monde le sait… et James Hunter est son meilleur ami !

– Je parie que c'était truqué ! renchérit Vicki.

Mlle Temple, qui expliquait à James où il pourrait la trouver après l'école, surprit la conversation.

– Vicki, Becky, je comprends votre déception. Mais il y a une vingtaine d'élèves dans votre cas. Vous n'allez pas faire ces mines d'enterrement toute la journée. Vous devez accepter le hasard du tirage.

Elle attendit que les deux filles relèvent la tête.

– Voilà qui est mieux. Et je ne veux pas apprendre que vous répandez la rumeur d'un quelconque favoritisme. Il n'en est rien et vous le savez parfaitement.

Vicki et Becky rougirent.

– Oui, mademoiselle, dirent-elles en chœur. Pardon, mademoiselle.

– Bon, courez vite à l'appel, et ne parlons plus de trucage. Vous aussi, Cathy et James, sinon vous allez être en retard.

Tous dévalèrent au pas de course le couloir. Cathy commençait seulement à réaliser leur chance. De joie, elle fit un petit bond en l'air.

– Qu'est-ce que je te disais sur le pouvoir de la pensée positive ? lui lança James.

Ils gravirent les marches deux à deux.

– Un pur hasard ! rétorqua Cathy.

– C'est ce que tu crois !

Au moment de la quitter pour emprunter un autre couloir, il s'arrêta.

– Tu sais, à propos de Henry et de son problème de poids…

– Qu'est-ce que tu as en tête ?

– Une cure de légumes frais, de flocons d'avoine, de noix et de biscottes !

– Fini les chips ? Tu veux lui serrer la ceinture ?

– Oui, à la diète, et avec décompte des calories.

– Un régime draconien.

– Et un programme d'entraînement physique. Pour le ramener en septembre avec une silhouette retrouvée. Fini les graisses inutiles !

– Pauvre Henry… Mais j'imagine que c'est pour son bien.

– Pauvre Henry, mon œil! Ma maison va devenir le premier centre diététique pour hamsters de toute la région. Qu'est-ce que tu en dis, Cathy?

Elle prit la mesure du défi.

– Tu as raison. Plus de biscuits, plus de gâteaux.

– Parfait. On se retrouve à quatre heures au labo?

– J'y serai.

Elle s'envola vers sa salle de classe. Ils allaient avoir Henry à eux seuls pendant tout l'été. Ils ne lui donneraient que des produits sains, et l'obligeraient à respecter un régime-minceur. Ils pourraient même l'emmener en balade près de la rivière pour un pique-nique en plein air. Cathy avait des tas de projets. Elle s'assit à son pupitre juste comme M. Meldrum, son professeur de grammaire, arrivait. Elle avait la tête dans les nuages lorsqu'il appela son nom.

– Cathy Hope? répéta-t-il.

– Présente!

Vivement quatre heures! Les grandes vacances se profilaient devant eux; des journées entières à s'occuper de Henry!

4

Le samedi matin, Cathy se leva à l'aube. Elle alla travailler à l'Arche des Animaux avant même l'arrivée de Simon, l'infirmier. Elle nettoya les cages en bavardant avec le perroquet, la gerbille et le labrador noir qui avaient passé la nuit à la clinique. Un vétérinaire attache une grande importance à l'hygiène. D'ailleurs, ces corvées ne rebutaient pas Cathy : elle adorait la compagnie des animaux, elle aimait leur parler et les encourager à se remettre rapidement sur pied.

Lorsqu'il arriva à huit heures trente, Simon trouva tout en ordre pour les consultations. Il fit un brin de causette avec Cathy pendant que Jane Knox, la secrétaire, étudiait la liste des rendez-vous.

– Alors ? Quel effet ça fait d'avoir six semaines de liberté devant soi ?

– C'est formidable !

Cathy ôta sa blouse blanche et l'accrocha à un porte-manteau dans une des deux salles de soins.

– James garde le hamster de l'école pendant les vacances. On va l'emmener faire un pique-nique au bord de la rivière.

– Le veinard ! sourit Simon. Quand j'étais gosse, j'avais un hamster, moi aussi. Une femelle. Elle s'appelait Honey. Elle avait un poil doré et de très beaux yeux violets. Mais elle ne voyait pas à un mètre plus loin que son nez. Tu savais que les hamsters sont très myopes ?

Cathy en prit bonne note.

– En fait, ils se servent de leurs moustaches pour mieux se diriger. Ce sont des nocturnes : somnolents le jour et actifs la nuit.

– Il ne risque rien si on l'emmène en balade ?

– Au contraire, il sera aux anges. J'imagine qu'il est apprivoisé ?

– Oui. Il a l'habitude de sortir de sa cage. Il s'installe dans le creux de la main et il adore qu'on le caresse. Mais ce qu'il préfère, c'est manger ! Un peu trop, justement…

– Faites attention à ce que vous lui donnez. Surtout pas de chocolat ! C'est un poison pour les hamsters. Mais les pommes sont excellentes. Les hamsters aiment beaucoup les graines de tournesol, qui sont gorgées de protéines. Tu t'en doutes, ils raffolent aussi des biscuits et des gâteaux, mais il faut leur en offrir avec modération.

Le visage de Cathy s'éclaira.

– On a décidé de le mettre au régime : fruits et légumes, noix et céréales. Pas de sucre. On veut qu'il maigrisse.

– Bonne idée.

Simon la suivit dans la salle d'attente. Il sourit à Jane, puis rajusta ses lunettes.

– Et que pense Henry de ce régime ?

– Il n'est pas encore au courant.

Cathy était déjà à la porte, impatiente de courir chez James.

– Bonne chance. Et n'oublie pas : sois ferme avec lui. Ne te laisse pas attendrir par ses grands yeux tendres. Je te connais !

Cathy enfourcha sa bicyclette.

– Simon, tu peux dire à maman que je ne reviendrai pas déjeuner ? Mme Hunter nous prépare un casse-croûte.

Elle s'élança dans l'allée. Le soleil brillait, les arbres bruissaient sous le vent léger. Une journée parfaite pour un pique-nique !

45

Cathy était allongée sur le dos. La rivière murmurait, le sable était chaud...

– Passe-moi une autre feuille de laitue.

Assis en tailleur sur les galets, James tenait le hamster dans le creux de sa main. Henry se frottait paresseusement l'oreille avec ses petites pattes de devant. Sa cage reposait un peu à l'écart.

Cathy tendit le bras vers le panier que leur avait donné la mère de James. Ses doigts tâtonnèrent sur le couvercle d'osier. Elle l'ouvrit et fouilla à l'intérieur sans même relever la tête. Le soleil, les sandwiches et la limonade la rendaient somnolente. James se leva, en berçant Henry dans sa main.

– Ne te fatigue pas, j'y vais. Pourquoi es-tu si flemmarde aujourd'hui ?

– Je suis debout depuis l'aube !

Elle ouvrit un œil tandis que James s'accroupissait à côté du panier. Le nez et les favoris de Henry frémissaient de curiosité.

– James, attention !

Cathy se redressa comme mue par un ressort, mais trop tard. Henry venait de sauter droit dans le panier. Il atterrit avec un bruit mat au milieu des restes de biscuits. Enfin de quoi se remplir la panse ! Une orgie de calories ! Il s'y vautra avec délice.

James, qui n'avait pas vu où était tombé le hamster, fut pris de panique.

– Où est-il ? Vite, Cathy, où a-t-il filé ?

Il se jeta à quatre pattes dans les hautes herbes qui poussaient tout le long de la rive.

– Henry s'est échappé ! Aide-moi à le trouver !

– Il est là, dans le panier…

Elle se mit à genoux pour mieux l'observer.

– Henry !

James s'approcha. Ensemble, ils regardèrent dans la pénombre du panier. Henry se goinfrait de biscuits. Il croquait le plus vite possible et stockait ensuite les miettes dans ses joues.

– Attention à ton compte de calories ! s'écria James.

– Il s'en contrefiche ! Et pas la peine de lui offrir une feuille de laitue, quand il a une montagne de biscuits à se caler sous la dent.

Henry leva la tête et cligna des yeux. Ses joues avaient déjà doublé de volume.

– Viens par ici, gredin.

James mit ses mains en coupe sous le ventre grassouillet du hamster. Il s'efforça de prendre un ton sévère, vite démenti par un sourire qui s'étala sur tout son visage.

– Tu parles d'une mise à la diète ! Bah, ça aurait pu être pire…

– Par exemple ?

– Il aurait pu s'échapper. Il nous aurait fallu tout l'après-midi pour le retrouver dans ces hautes herbes. Heureusement qu'il a atterri dans le panier.

– Henry est un peu comme une biscotte : il tombe toujours du côté du beurre…

– Et des biscuits. En tout cas, adieu le régime ! Je vais lui imposer une double séance sur sa roue ce soir. Et demain, rien que de la laitue !

Henry plissa son museau.

– J'ai l'impression que le programme ne lui plaît pas beaucoup.

James remit le hamster dans sa cage. Cathy mit un peu d'ordre dans le panier avant de rabattre le couvercle.

– Allez, c'est l'heure de rentrer. J'ai promis à papa de l'aider cet après-midi à la clinique.

La fugue de Henry avait sorti Cathy de sa torpeur. Rêvasser au soleil près de la rivière, c'était très agréable, mais il y avait du pain sur la planche. Elle se releva et défroissa son tee-shirt.

– Hé, fit-elle soudain, en regardant dans le pré voisin, en amont de la rivière. Qu'est-ce qui se passe là-bas ?

Une file de voitures venait de s'immobiliser

sur le chemin de terre. Derrière, deux tracteurs approchaient en cahotant. Une poignée
de gens s'était rassemblés à l'entrée du
champ, et parlementait à voix haute.

– Ce sont les « anti-caravanes », dit James.

Il prit la cage et grimpa sur le talus.

– Mme Ponsonby et toute la clique.

Cathy aperçut un chapeau rose à larges
bords au milieu de la petite troupe. Puis elle
reconnut la voiture gris métallisé de Mme
Parker Smythe. Plus loin, elle vit arriver un
gros camion-remorque qui transportait la première caravane. Il s'avança lentement vers le
barrage à peine érigé. Des voix s'élevèrent.
Quelqu'un brandit une pancarte.

– Viens, dit Cathy en ramassant le panier.
Allons voir ce qui se passe !

Lorsqu'ils arrivèrent à la barrière, la manifestation battait son plein. Un deuxième
camion identique venait de se ranger derrière
le premier. Une voiture de police fermait la
marche.

– Les forces de l'ordre, dit James. Ça peut
devenir sérieux !

Cathy ne put réprimer un sourire au spectacle des manifestants. Drôle de contesta-
taires ! Mme Parker Smythe, certainement
plus à son aise dans un cocktail, jouait les

ardentes militantes en pantalon sur mesure et chemisier amidonné. Mme Ponsonby, avec son tailleur cintré et son chapeau à fleurs, semblait habillée pour une garden party. Le visage congestionné par l'effort, elle agitait dans les airs une pancarte qui clamait d'un côté « Les caravanes ne sont pas les bienvenues à Welford ! » et de l'autre « Welford dit non aux caravanes ! ».

Les deux femmes, comme les cinq ou six autres manifestants, obéissaient aux ordres de Sam Western, qui dirigeait les opérations à la manière d'un sergent d'infanterie.

– Gardez-vous à droite !

Bert Burnley, le fermier qui avait accepté d'accueillir les campeurs sur son pré, descendait de la colline au volant de sa Land-Rover. Il se gara, sauta de son véhicule et s'avança à grandes enjambées. Sans un mot, il empoigna la barrière et en défit l'attache. Elle s'ouvrit en grand. Cathy fit un pas dans le champ pour la maintenir ouverte.

– Qu'est-ce que c'est que ce foin ? grommela M. Burnley.

C'était un robuste gaillard aux cheveux broussailleux et au visage buriné.

– Vous ne savez pas que j'ai l'autorisation du maire depuis Pâques ? Allez, ramassez vos cliques et vos claques et fichez-moi le camp, sinon je demande à la police d'intervenir !

Sam Western vint à sa rencontre, poings sur les hanches.

– Pourquoi n'avez-vous pas consulté la population avant de mettre en train ce projet bassement mercantile ? tonitrua Sam Western, à quelques centimètres seulement du visage du fermier.

– Bien envoyé ! claironna Mme Ponsonby.

– C'est un peu fort de café ! rétorqua M. Burnley. C'est vous qui m'accusez de mercantilisme, Western ? Vous feriez mieux de balayer devant votre porte !

Cathy avait un œil sur le duel et un autre sur le policier qui approchait. Derrière l'homme en uniforme bleu, elle aperçut un jeune journaliste blond, appareil-photo en bandoulière.

– Arrivée sur les lieux de l'envoyé spécial ! glissa-t-elle à James.

L'affrontement pouvait faire la Une du quotidien local.

M. Western eut un bref ricanement. Ses supporters firent bloc autour de lui tandis que le policier, le journaliste et les deux chauffeurs de camions slalomaient entre les tracteurs et les voitures qui bloquaient le chemin.

– Commencez donc par vous renseigner, rugit Burnley. Vous apprendrez que je mets ce champ à la disposition des caravanes gratuitement. C'est pour la bonne cause. J'ai dit au lycée de Kingsmill que les gamins pourraient s'offrir des vacances dignes de ce nom pour pas un radis. Il est grand temps que quelqu'un ici fasse un geste désintéressé !

Il se raidit devant Sam Western. Mme Ponsonby, Mme Parker Smythe et les autres semblèrent pris de court par ces révélations.

– Oyez, oyez ! crièrent en chœur Cathy et James.

– Que vous vous remplissiez ou non les poches importe peu, fanfaronna Sam Western. Nous refusons de voir ces caravanes dégrader le paysage. Et nous ne bougerons pas d'ici tant que vous n'aurez pas dit à ces camions de faire demi-tour et de remporter leur chargement d'où il vient !

L'orateur ne vit pas la haute silhouette du policier se dresser derrière lui. Le journaliste braqua son appareil photo et se mit à mitrailler les manifestants. Sous le feu des projecteurs, leur ardeur baissa soudain d'un ton. Deux d'entre eux regagnèrent même discrètement leur véhicule.

– Le reportage sera dans le journal de

lundi, murmura un déserteur. Ce n'était pas prévu au programme.

Tout penaud, il se réfugia derrière son volant, mais on sentait qu'il aurait préféré disparaître sous terre.

Mme Ponsonby continuait de faire rempart de son corps. Elle fusilla du regard le jeune policier qui sommait Sam Western de faire déplacer ses tracteurs.

– Welford dit non ! entonna-t-elle.

Le journaliste griffonnait des notes sur son calepin tandis que M. Western tentait de défendre sa cause.

En vain. Sans hausser la voix, le policier lui fit remarquer que son action était contraire à la loi. Cathy et James se postèrent de chaque côté de M. Burnley, ravis d'être photographiés.

– Nous pensons que c'est une excellente idée, déclara Cathy au journaliste. La campagne doit profiter à tous. Nous sommes impatients de faire la connaissance de ces jeunes. Et j'ajoute qu'à Welford seule une infime minorité s'oppose à ce camping. Dites-le bien dans votre article !

A ces mots, Mme Parker Smythe tourna la tête. Mme Ponsonby fulminait. Mais Cathy et James ne se laissèrent pas intimider. Toujours encadrant M. Burnley, ils posèrent fièrement pour le photographe, sous le panneau flambant neuf du camping.

– Merci. Avec ça, je devrais faire la une de lundi.

– Au fait, vous avez eu Henry sur la photo ? demanda Cathy.

Le policier faisait circuler la foule. Peu à peu, de guerre lasse, les mécontents se dispersèrent. Mme Ponsonby abaissa sa banderole, et M. Western donna enfin l'ordre de repli à ses tracteurs.

– Qui est Henry ? demanda le journaliste, occupé à ranger son appareil et son calepin, avant de courir rédiger son article.

– Le hamster, fit Cathy en montrant la cage.

Henry suivait les événements avec intérêt, les bajoues encore pleines de biscuit.

– Oh, oui, le hamster est dans la boîte, ne vous inquiétez pas, sourit le journaliste.

La manifestation avait fait long feu. Peu habitués à baisser pavillon, les participants rentrèrent chez eux en bougonnant. Bientôt, les camions purent entrer cahin caha dans le pré avec leurs immenses remorques. M. Burnley échangea une poignée de main avec un jeune couple, les deux professeurs de Kingsmill qui organisaient le camp de vacances.

– Merci beaucoup, dit le jeune homme à Cathy et à James, lorsqu'il eut appris de la bouche du fermier le rôle joué par les deux enfants.

– De rien, ça nous a fait plaisir.

Ils saluèrent la jeune femme, Chrissie Searle. Son compagnon s'appelait Pete Cavendish. En short et tee-shirt tous les deux, ils avaient l'air décontracté. Mais l'heure n'était pas aux longs bavardages.

– Le premier groupe d'enfants doit arriver lundi, expliqua Pete Cavendish. D'ici là, on ne va pas chômer…

Les vainqueurs de la première manche se quittèrent satisfaits. Les deux enfants regagnèrent la maison avec Henry. Impatiente de délivrer les dernières nouvelles, Cathy rentra chez elle. Elle passa sous l'écriteau de bois où était gravé « L'Arche des Animaux, clinique vétérinaire » et courut annoncer à ses parents qu'elle allait être dans le journal. La manifestation avait avorté, les caravanes s'installaient, et M. Western devait reconnaître sa défaite.

Emily Hope la prit dans ses bras.

– Je suis fière de toi ! dit-elle en apprenant ce que sa fille avait déclaré au journaliste. Je n'aurais pas mieux dit !

5

Aucun doute, Sam Western et ses supporters s'étaient ridiculisés. Sur la photo en première page du journal de lundi matin, ils apparaissaient comme un ramassis de snobs aux idées courtes. Les mots lancés par Cathy faisaient la manchette : *Une excellente idée !* lisait-on en grosses majuscules noires. Sous le cliché des manifestants, il y en avait un autre, plus gai, plus flatteur, du quatuor Burnley, Cathy, James et Henry, avec cette légende : « Les partisans du camping ».

A la table du petit déjeuner, Cathy rayonnait. Sa grand-mère et son grand-père s'étaient arrêtés en revenant du village pour lui montrer le journal. Le Cottage des Lilas, leur joli cottage, se trouvait un peu plus loin sur la route.

– Quand doivent arriver les premiers campeurs ? demanda Papy.

– Ce matin. Pete et Chrissie ont travaillé comme des brutes pour tout préparer. Il y a six caravanes dans le pré et au milieu un préfabriqué qui abrite l'intendance et une salle commune. Tout est en place maintenant.

– Pete et Chrissie ? répéta Mamy.

– Pete Cavendish et Chrissie Searle. Ce sont les deux professeurs de Kingsmill, à Birmingham.

– Et tu les appelles déjà par leur prénom ?

– Oui. Ils sont très sympa. Ils vont emmener les enfants faire du canoë et du VTT. Et si le temps le permet, ils veulent organiser un barbecue au bord de la rivière à la fin de la semaine !

Cathy engloutit d'un trait son verre de jus d'orange.

– Désolée, Papy et Mamy, mais il faut que je me sauve. J'ai promis à James de le retrouver dans le village. On veut être là pour souhaiter la bienvenue aux campeurs. Chrissie dit que ça leur mettrait du baume au cœur. Ils risquent de se sentir un peu dépaysés à Welford en arrivant d'une grande ville comme Birmingham !

Elle donna un rapide baiser à ses grands-parents. Bientôt, grimpée sur son vélo, elle filait dans l'allée.

James, qui attendait sous l'enseigne du pub le « Fox and Goose », la salua de la main.

– J'ai vu passer le minibus de Kingsmill il y a cinq minutes, dit-il.

Ils descendirent ensemble la grand rue.

– Comment va Henry ?

– Bien. Il est de nouveau au régime : graines de tournesol et rondelles de pomme. J'ai laissé sa cage à l'ombre sur la véranda. Maman garde un œil sur lui.

Ils pédalèrent avec aisance sur une portion de route plane. Par dessus les haies d'aubépines, ils apercevaient les caravanes rutilantes dans le pré de M. Burnley.

Ils abandonnèrent leur vélo contre la barrière et entrèrent dans le champ.

En marchant vers le préfabriqué, Cathy se sentit soudain toute timide. Mais la situation devait paraître encore plus étrange aux nouveaux arrivants qui, assis par terre, regardaient approcher les « campagnards » avec circonspection.

– Bonjour, dit Cathy à la cantonade.

Il y avait là une douzaine d'enfants d'à peu près son âge : certains étaient allongés par terre, d'autres appuyés contre le mur de la cabane, d'autres encore faisaient semblant de ne pas les voir. Une fille se tenait à l'écart du groupe. Elle était petite et maigre, aux cheveux roux et aux yeux gris-vert.

– Je m'appelle Cathy Hope. J'habite ici, à Welford.

La fille la regarda d'un air confus. Elle hocha la tête mais ne dit rien.

– Fais pas attention à elle, lança un garçon. Impossible de lui arracher un mot. Si on jouait au foot ?

Il sortit un ballon de plastique blanc qu'il fit rouler devant la cabane.

– D'accord, répondirent plusieurs voix.

James se mêla à eux de bon cœur. Bientôt résonnèrent des cris enthousiastes et des revendications de fautes.

– Comment s'appelle le garçon qui a le ballon ? demanda Cathy à la fille qui se tenait à l'écart.

Il dribbla avec adresse et passa la balle à un équipier en lui criant ses instructions.

– Paul.

La réponse était venue dans un murmure.

– Et la fille aux cheveux blonds ?

– Sonia.

Cathy s'efforça de mémoriser les prénoms.

– Et toi, comment tu t'appelles ?

– Leanne Jackson.

Elle avait à peine donné son nom qu'elle

baissa les yeux et devint rouge comme une pivoine.

– Vous êtes tous dans la même école ?

– Oui, mais je n'y suis que depuis mai. Mes parents ont dû déménager. C'est pour ça que j'ai encore changé d'école.

Cathy choisit d'avancer pas à pas. Elle regarda Leanne, puis de nouveau la partie de football.

– Ma mère a la même couleur de cheveux que toi. En fait, elle n'est pas vraiment ma mère. Mes vrais parents sont morts dans un accident juste après ma naissance. J'ai été adoptée.

Leanne interrompit sa contemplation des marguerites.

– Tu as un père ?

– Oui, c'est le vétérinaire du village. Il a vécu ici toute sa vie. Ma mère aussi est vétérinaire.

Leanne poussa un soupir.

– Tu dois avoir des tas d'animaux chez toi !

– Oui. Mais ils ne sont pas à moi : ce sont nos patients. Des chiens, des chats, des lapins, des ânes, des poneys, tout ce que tu veux. Oh, et j'ai trois lapins à moi.

Nouveau soupir de Leanne.

– Tu en as de la chance.

– Tu n'as pas d'animaux ?

Cathy était ravie d'aborder son sujet favori. Toutes deux s'assirent en tailleur dans l'herbe pour suivre le match d'un œil distrait. Sonia, dans les buts, bloqua un tir de Paul. Ses équipiers la félicitèrent.

– Non, je n'ai pas le droit. Ma mère et moi, on habite un appartement, alors on ne peut pas avoir d'animaux.

– C'est dommage.

En dépit de ses abords timides, Leanne paraissait disposée à se livrer.

– Pourtant, j'aimerais bien en avoir un. Un animal rien qu'à moi, je veux dire. J'en rêve depuis toujours. Mais on déménage trop souvent. Maman dit que ça ne serait pas bon pour l'animal.

– Elle n'a peut-être pas tort.

Cathy réfléchit un moment.

– Tiens, si on allait chez James ? Je suis sûr qu'il n'y verrait pas d'objection, et puis j'ai quelque chose à te montrer. Il habite juste de l'autre côté de la route : on en a pour une minute.

– D'accord.

Enchantée, Cathy prit les devants. Toutes deux sortirent du pré, traversèrent la petite route et passèrent en courant devant la mai-

61

son de Claire MacKay, où l'on pouvait voir, accroché à un arbre du jardin, un écriteau qui disait « Le Refuge de Rosa ».

– Claire recueille des hérissons, expliqua Cathy. Elle est nouvelle dans le village, mais elle s'est vite intégrée depuis qu'elle a ouvert ce refuge.

Elles franchirent le portail des Hunter et suivirent l'allée. Le labrador de James avait dû entendre leurs pas, car il surgit en bondissant et en remuant la queue. Cathy le serra dans ses bras.

– Celui-là, c'est Blackie. Et le petit chat qui dort sur le paillasson s'appelle Eric.

Leanne monta les quelques marches et caressa la tête du chat. Eric se mit à ronronner.

– Il est adorable.

Cathy désigna la cage en bois qui reposait sur une étagère.

– Et voilà Henry.

– Un hamster ! s'écria Leanne, les yeux brillants. Oh, ce qu'il est mignon !

Pour faire honneur à ces admiratrices, Henry sauta dans sa roue. Il l'actionna avec ses pattes et accéléra sans jamais perdre l'équilibre.

– C'est un hamster doré, expliqua Cathy,

heureuse de l'émerveillement de sa nouvelle amie. Il a six mois. Il appartient à notre école, mais James le garde pendant les vacances. Tu t'y connais en hamsters ? Ce sont des rongeurs du désert.

– Je sais. Ils ont des portées de six à dix petits, qui naissent sans poil. Leurs yeux s'ouvrent le douzième jour. Et leur espérance de vie est de deux à trois ans.

Cathy en resta bouche bée.

– J'ai tout lu sur eux dans des livres sur les animaux. Mais c'est la première fois que j'en vois un de si près.

Henry sortit de sa roue et s'approcha, moustaches frémissantes.

– Tu veux le prendre dans ta main ?

Leanne hocha la tête. Elle retint sa respiration lorsque Cathy lui donna le hamster. Il lui mordilla le doigt, puis se blottit confortablement au creux de sa main.

– Oh ! s'exclama-t-elle, toute attendrie.

– Tu peux passer le voir quand tu veux. James n'aura rien contre. Et je viens ici presque tous les jours, pour l'aider. Comme tu es au camping, tu es juste à côté.

De sa main libre, Leanne caressa la fourrure dorée de Henry.

– Il est si doux ! Ses pattes me chatouillent.

– Essaie de lui donner ça.

Cathy lui tendit une rondelle de pomme piochée dans un sac sur l'étagère. Le hamster s'en saisit et la grignota sous leur regard amusé.

Puis Leanne se pencha pour le déposer dans sa cage.

– Il faut que j'y aille.

Son sourire avait disparu.

– Tu reviendras ?

– Oui, avec plaisir.

Cathy referma le couvercle. Leanne jeta un dernier regard au hamster et caressa Eric pendant que Cathy allait jouer dans le jardin avec Blackie. A ce moment-là, Mme Hunter passa la tête par la fenêtre de la cuisine.

– Bonjour, Cathy !

– Bonjour, madame Hunter. Je vous présente Leanne Jackson, de Birmingham.

– Bonjour, Leanne. Ravie de faire ta connaissance. J'espère que tu vas bien t'amuser à Welford. Cathy, tu peux dire à James de rentrer déjeuner à midi et demi ?

Cathy promit de faire la commission. Puis les deux amies reprirent le chemin du camping. A leur arrivée, le match de football touchait à sa fin, avec une victoire de trois buts à deux en faveur de l'équipe de Paul. Avec un rapide signe de tête à Cathy, Leanne disparut dans sa caravane avant que la meute des sportifs assoiffés prennent d'assaut le magasin en réclamant des canettes de Coca.

James, déjà adopté par la bande, présenta Cathy à Ben, un grand garçon aux cheveux en brosse. Ben était le comique de la bande mais aussi une victime de la mode : il portait des vêtements de sport dernier cri qui faisaient sa fierté. Cathy s'installa au milieu de la petite troupe, oubliant bientôt Leanne la solitaire.

– Qu'est-ce qu'on fait maintenant ? demanda Sonia en étouffant un bâillement.

Elle se laissa tomber par terre.

– Il n'y a pas grand chose à faire par ici, hein ?

Son amie, Marcie, lui jeta une poignée de pétales de marguerite dans les cheveux.

– Arrête de râler !

Marcie avait un visage gai et avenant. Elle sourit à Cathy.

– Le problème avec Sonia, c'est qu'elle n'arrête pas de se plaindre.

– La campagne, c'est rasoir ! confirma l'intéressée en contemplant le paysage vallonné. Il ne se passe rien. Pas de magasins, pas de cafés. Je me demande pourquoi j'ai accepté de venir !

– Qu'est-ce que je te disais ! rit Marcie.

– Aïe ! Qu'est-ce que c'est que ça ?

Sonia se tortilla pour glisser un bras sous son tee-shirt.

– J'ai une bestiole dans le dos ! Aïe ! Marcie, sors-la vite de là !

Elle se leva d'un bond et se mit à tournicoter sur place en poussant des cris de terreur.

– Ne bouge pas si tu veux que je t'aide ! riait Marcie.

Elle partit à la pêche et ramena une marguerite écrasée sous le tee-shirt de son amie.

– Tu parles d'une bestiole !

Sonia fit la grimace et partit vers sa caravane.

– De toute façon, je déteste la campagne !

Plus loin, Ben essayait de convaincre un garçon aux yeux rouges appelé Sean d'aller nager dans la rivière.

– James dit que ce n'est pas profond. Et je te parie qu'elle est bonne ! Viens, qu'est-ce qu'on attend ?

– Je sais pas, fit Sean. J'ai l'impression que je suis allergique à quelque chose ici.

Ses yeux ruisselaient de larmes.

– Le rhume des foins ? suggéra Cathy.

– Tu parles de vacances ! Envoyez-moi sur une plage où il fait chaud, comme en Espagne ou en Grèce. Je ne supporte pas toutes ces fleurs !

– Il y a une petite plage sur la rivière, dit James. Et si tu restes bien au bord de l'eau, ton rhume des foins ne pourra pas empirer.

Il s'élança le premier, suivi par Ben puis par un Sean qui traînait les pieds.

Le pré se vida. Tous les enfants de Kingsmill se dispersèrent dans toutes les directions, au gré de leurs activités. Dans ce groupe varié, qui n'avait pas encore pris toutes ses marques, Cathy avait eu d'emblée un coup de cœur pour Leanne. Elle espérait la revoir bientôt. Elle salua de la main Chrissie Searle qui s'affairait dans le magasin, puis elle alla chercher sa bicyclette et regagna tranquillement l'Arche des Animaux.

Dès le mercredi matin, Cathy savourait pleinement la liberté de mouvements que lui procuraient les vacances. Quelle joie d'échapper enfin à la routine de l'école ! Cathy pouvait aider davantage à la clinique, se promener à vélo dans le village ou rendre visite à ses amis dans les fermes voisines.

Des rumeurs commençaient à circuler sur les jeunes du camping. Les cancans allaient bon train chez McFarlane lorsque Cathy entra acheter des timbres pour sa grand-mère. Mme Ponsonby exhortait Susan Price à se tenir à l'écart des nouveaux arrivants.

– Ce sont des gamins mal élevés. Je suis sûre que tes parents n'aimeraient pas te voir les fréquenter, ma petite Susan.

Susan était en tenue d'équitation. En douce, elle fit une grimace complice à Cathy.

– Entendu, madame Ponsonby. De toute façon, je monte Prince au gymkhana de Kenley la semaine prochaine, alors j'ai beaucoup de travail pour le préparer.

– Très bien, reste en dehors des ennuis.

Le carillon de la porte retentit et Susan dévala les marches du perron. Mme Ponsonby se tourna alors vers M. McFarlane pour lui raconter les derniers méfaits des jeunes citadins.

– Ils sont là depuis à peine trois jours, et ils ont déjà mis le village sens dessus dessous ! Ils ont laissé les barrières ouvertes, bien sûr, et il a fallu que ce soit sur les terres de ce pauvre M. Western. Dennis Saville a dû rassembler plusieurs vaches égarées dans la lande. C'est un miracle qu'aucune de ces bêtes n'ait été blessée !

– On est sûr que ce sont les gamins du camping, madame Ponsonby ?

M. McFarlane pesait méticuleusement cent grammes de chocolats fourrés à la menthe.

– Évidemment. M. Western les a vus de ses propres yeux. Puis il y a ce vacarme assourdissant sur le camping. De la musique à tue-tête jusque tard dans la nuit, des clameurs et des jeux au bord de la rivière. Je ne serais pas autrement surprise si l'un d'eux venait à se noyer !

Mme Ponsonby ôta ses lunettes à monture rose pour les essuyer avec un minuscule mouchoir de dentelle. Elle les chaussa sur son nez d'un air pincé avant d'aviser Cathy.

– Et qu'on ne vienne pas me dire que je ne vous avais pas prévenus ! lança-t-elle, triomphante.

Cathy se mordit la lèvre inférieure.

– Cinq timbres, s'il vous plaît, demanda-t-elle à l'épicier, tandis que Mme Ponsonby ramassait son sachet de friandises et quittait la boutique.

Cathy devait froncer les sourcils avec agacement car M. McFarlane lui fit un clin d'œil pour la dérider :

– Ne te mets pas martel en tête à cause d'elle.

– Oh, moi, ce n'est pas grave, mais d'autres pourraient croire ce qu'elle dit.

Elle craignait que Mme Ponsonby ne rende la vie difficile aux occupants du camping. Pour le moment, ils avaient fait de longues randonnées en vélo dans les collines ou en canoë sur la rivière, et aucun incident grave n'était à déplorer. Mais Mmes Ponsonby et Parker Smythe ouvraient l'œil, et M. Western était prêt à envoyer sa pétition au conseil municipal au premier faux pas. Cathy paya ses timbres et sortit en secouant la tête.

Son attention fut retenue par une scène qui se déroulait sur la place du village. Un petit groupe comprenant Ernie Bell et son ami Walter Pickard, mais aussi Betty Hilder du refuge pour animaux et Julian Hardy, le propriétaire du pub, s'était rassemblé devant le muret de Walter. Au centre du cercle, Mme Ponsonby examinait des preuves toutes fraîches.

– Vous dites qu'ils étaient sur le mur ?

Tous contemplaient quelque chose à leurs pieds. Cathy descendit de son vélo pour aller voir.

– A leur place habituelle, confirma Walter. C'est un endroit ensoleillé.

Jetant un œil par dessus le muret, entre les jambes des badauds, Cathy découvrit des débris de pots de fleurs, du terreau éparpillé

70

et plusieurs géraniums qui gisaient déracinés sur les dalles du jardin de Walter. Le vieil homme semblait sous le choc. Cathy savait quel soin méticuleux il apportait à ses fleurs. Année après année, les géraniums égayaient la rangée de petits cottages. Celui qui les avait renversés avait dû agir par pure malice, sans savoir ce que ces fleurs représentaient pour Walter.

– Vous avez vu qui a fait le coup ? demanda Ernie d'une voix grincheuse.

Walter secoua la tête.

– J'ai ouvert ma porte pour prendre le lait et ils étaient là, en mille morceaux !

– Je vous avais bien dit que ces jeunes du camping étaient une bande d'excités ! intervint Mme Ponsonby. Je savais qu'il y aurait du grabuge !

– Mais on n'a aucune preuve, objecta Betty Hilder. Walter n'a pas pris les coupables sur le fait.

– C'est une simple question de logique. Nous n'avons jamais eu un seul ennui dans le village avant l'arrivée de ces jeunes voyous. Et maintenant, il ne se passe pas un jour sans un nouvel incident. Le bétail en liberté… Le tapage nocturne. Et maintenant cet acte de vandalisme !

Mme Ponsonby sembla se délecter de ce dernier mot.

Walter secoua tristement la tête.

– Quel que soit le coupable, ça ne va pas recoller mes pots. Et ça ne ressuscitera pas mes pauvres géraniums.

– En tout cas, vous étiez prévenus, jubilait Mme Ponsonby. Je vous avais bien dit que ces caravanes étaient synonymes d'ennuis, mais vous ne vouliez pas m'écouter.

Elle jeta un regard hautain en direction de Cathy.

– Hé bien, j'espère que tu es satisfaite! lui lança-t-elle, avant de s'éloigner à grands pas.

Ébranlée, Cathy ne trouva pas le courage de défendre les enfants de Kingsmill devant ce pauvre Walter. Betty courut chercher un balai dans le pub pour faire le ménage, tandis qu'Ernie entraînait son ami boire une bonne tasse de thé dans son cottage. « Après tout, ce ne sont que des fleurs », songeait Cathy. Et nul ne savait au juste si elles avaient été renversées par accident ou par malveillance. Mais les apparences n'étaient pas favorables. La campagne anti-caravanes n'allait pas manquer de reprendre l'affaire à son compte.

– Tu crois vraiment que ce sont eux les coupables? demanda John Hardy à Cathy.

– Non, répondit-elle. Mais allez convaincre Mme Ponsonby !

Avec un soupir, elle s'éloigna. La colère couvait dans le village. Si les adversaires du camping imposaient leurs vues, les enfants de Kingsmill allaient devenir des parias !

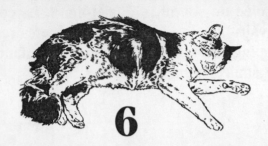

6

Le jeudi après-midi, Mme Ponsonby, M. Western et Mme Parker Smythe avaient réussi à soulever l'indignation de la moitié du village autour de quelques pots de fleurs cassés.

– Pauvre Walter Pickard ! se lamentait Mme Ponsonby, en achetant sa ration quotidienne de chocolats fourrés à la menthe chez McFarlane. Lui qui aimait tant ses géraniums !

Cathy entendit ces mots par la porte ouverte du bureau de poste, où elle déposait des lettres pour sa grand-mère. Elle regagna l'Arche des Animaux sans s'attarder.

En arrivant, elle laissa son vélo contre le mur du cabinet.

– On n'aurait jamais dû se laisser entraîner dans cette histoire !

Mme Parker Smythe sortait avec sa fille Imogène. Elle avait croisé le révérend Hadcroft qui entrait avec sa chatte Jemina.

– Je ne veux pas paraître manquer de charité, mon père, loin s'en faut, mais je savais que ce camping serait source d'ennuis pour le village. Ce matin-même, j'ai vu une véritable horde d'enfants passer en trombe devant notre maison sur ces vélos tout terrains. Et les deux meneurs sont aussi fous que les autres. Ils ne pourraient pas tenir une garderie, alors vous pensez, une bande d'adolescents indisciplinés !

Mme Parker Smythe ne passait pas inaperçue, avec sa robe turquoise et ses nombreux bijoux en or.

Imogène poussa un soupir et serra un peu plus fort le carton qui contenait ses deux lapins, Marco et Polo.

Le révérend Hadcroft prit son air le plus affable :

– Je ne suis pas certain qu'il s'agisse de « tenir » ces enfants, comme vous dites, madame Parker Smythe. Après tout, ils sont venus à Welford en vacances. Il faut bien qu'ils se dépensent un peu.

– Parce que vous appelez détruire les géraniums d'un vieillard « se dépenser » ?

Mme Parker Smythe tourna son attention vers Mme Platt, qui arrivait au cabinet avec Antonia, son caniche nain.

– Vous avez entendu la nouvelle, madame Platt ? Ces jeunes ont été lâchés sur la lande près de High Cross. Et ils se fichent bien des panneaux de propriété privée ! Sam Western a dû les menacer avec ses chiens pour qu'ils ne pénètrent pas sur ses terres.

Mme Platt parut soucieuse.

– Les choses prennent des proportions imprévues. Je dois avertir Vicki et Justin. Leurs parents me les ont confié pendant quelques jours. Je tiens à ce qu'ils restent en dehors de tout ça. On n'est jamais assez prudents avec les jeunes de nos jours.

Mme Platt était la grand-tante des jumeaux Simpson. Elle habitait un cottage où Vicki et Justin allaient régulièrement passer quelques jours.

Le révérend Hadcroft abandonna les deux femmes à leur conversation.

– Ce pauvre Walter ! poursuivit Mme Platt. Je l'ai vu assis sur son banc devant le pub hier soir. Il en avait perdu toute sa bonne humeur.

Cathy en avait assez entendu. Elle adressa un sourire à Imogène puis entra dans le cabinet. Encore préoccupée par tous ces ragots, elle enfila sa blouse blanche pour aller aider son père aux prises avec le chat du vicaire.

– Ah, Cathy, j'ai déjà administré un sédatif à Jemina, dit M. Hope. Maintenant j'aimerais prendre une radio de sa queue. Maintiens-la en position s'il te plaît. Pauvre chatte, j'ai bien peur qu'elle ne se soit mal en point.

Ils passèrent la pauvre Jemina aux rayons X sous l'œil anxieux du vicaire.

– J'ai remarqué qu'elle traînait la queue en rentrant à l'heure du déjeuner. Elle n'était pas comme d'habitude, alors je l'ai amenée ici.

– Vous avez bien fait.

Peu après, Adam Hope sortit la plaque de la machine.

– Regarde, Cathy. Tu vois ce trait fin comme un cheveu sur cette vertèbre ? A environ six centimètres du bout ? Hé bien, c'est une fracture.

Cathy regarda attentivement, puis hocha la tête.

– J'ai l'impression que Jemina a perdu une de ses neufs vies, dit M. Hope au vicaire. En tout cas, à en juger par cette fracture, elle l'a échappé belle.

– Que peut-on faire ?

Il caressa sa chatte et lui murmura quelques mots à l'oreille. L'animal releva doucement la tête et reprit peu à peu conscience de ce qui se passait autour d'elle. L'effet du sédatif s'estompait.

– Nous allons pratiquer une opération bénigne pour lui ôter le bout de la queue. La fracture a paralysé le nerf. Mais ne vous inquiétez pas, les chats se débrouillent très bien sans leur queue. Après un jour ou deux, elle ne se rendra plus compte de rien.

M. Hope la prit dans ses bras et la donna à Cathy.

– On va la garder ici cette nuit et l'opérer demain matin, d'accord ?

Il demanda à sa fille d'emmener la chatte dans la pièce voisine et de l'installer confortablement dans une des cages.

Jemina eut droit à un traitement quatre étoiles. Cathy lui octroya une feuille supplémentaire de papier journal pour l'empêcher de trop se cogner le bout de la queue. Elle s'assura que l'animal n'était ni trop chaud ni agité. Lorsqu'elle regagna le cabinet, M. Hope avait reçu son dernier patient, et les consultations étaient terminées.

Cathy pouvait désormais réfléchir sérieusement au problème posé par le camping.

– Papa, tu crois qu'ils font exprès d'énerver les gens du village ?

– C'est ce que tu crois, toi ?

Cathy fit non de la tête.

– A mon avis, ils ont juste oublié de fermer le portail de M. Western.

– Et les pots de fleurs de Walter ?

– Les jeunes du camping sont présumés innocents jusqu'à preuve du contraire.

Son père sourit.

– Tu as déjà pensé à devenir avocate quand tu seras grande ?

– Non merci ! Je préfère m'occuper des animaux !

Cathy voulait devenir vétérinaire comme ses parents.

– Je fais un saut chez James pour voir ce qu'il en pense.

Elle ôta sa blouse blanche.

– Et pour voir Henry, bien sûr !

– Bien sûr. Comment va son régime ?

– Plutôt bien. Son poids est descendu à cent trente grammes. James le pèse tous les matins sur la balance de la cuisine.

– Parfait. Continuez comme ça !

Un signe de la main et Cathy était partie. En chemin, elle chercha le meilleur moyen de venir en aide à Sonia, Marcie, Ben, Paul et les autres.

– Alors, quelles nouvelles ? s'enquit James.

Avec quatre planches et autant de briques, il avait construit une aire de jeux pour Henry sur la pelouse. Le hamster y gambadait lorsque Cathy entra dans le jardin.

– Mme Ponsonby et Mme Parker Smythe, voilà les nouvelles !

Elle s'allongea sur le gazon.

– Elles se sont donné le mot pour accuser les jeunes du camping de tout ce qui va de travers à Welford.

Elle lui raconta l'affaire des géraniums.

– J'aimerais que Mme Ponsonby soit plus prudente dans ses jugements. Et que M. Western ne lâche pas ses molosses dès qu'on pose le pied sur ses terres. Les gens ne savent pas forcément qu'ils sont sur une propriété privée.

– Tu as vu quelqu'un du camping ce matin ?

– Pas encore. Je crois qu'ils sont encore partis sur leurs VTT. Leanne est passée ?

– Je n'ai pas l'impression. Je voudrais lui montrer le nouveau terrain de jeux de Henry. C'est une bonne idée, non ?

– Excellente ! Henry a l'air heureux comme un pape.

Le hamster sautillait d'un coin à l'autre,

puis s'asseyait sur son arrière-train pour peigner ses favoris.

– Et on dirait qu'il a maigri ! Ta cure lui réussit !

James sourit fièrement.

– L'exercice va lui faire du bien.

Il prit une coupelle en plastique pleine d'eau et la plaça au centre du terrain de jeux. Le museau de Henry frétilla. Il inclina la tête puis trotta jusqu'à l'assiette.

– Tu peux le surveiller un moment, Cathy ? Je vais à l'intérieur chercher un morceau d'œuf dur. Il adore ça.

Cathy s'allongea sur l'herbe tiède, le menton dans les mains, tandis que James disparaissait dans la maison. Le jardin était paisible, les abeilles bourdonnaient de fleur en fleur, les oiseaux chantaient dans les arbres au-dessus de sa tête. Paresseusement, elle observa le hamster qui explorait son territoire à la recherche d'insectes et de vers de terre.

Soudain, elle perçut du bruit derrière la haie. De brefs éclats de voix, puis quelqu'un qui courait sur la route, en pleine chaleur. Les pas se rapprochaient. A travers la haie, Cathy aperçut un tee-shirt à rayures bleu et blanc. Elle se mit à genoux pour mieux voir.

La silhouette s'arrêta juste devant le jardin

de James. Cathy entendit quelqu'un pleurer doucement, puis, à travers le branchage, elle distingua le visage d'une fille. Dès qu'elle se sentit observée, celle-ci recula.

Les bruits de pas reprirent. Ils claquèrent brièvement sur le goudron de la route puis furent étouffés par les hautes herbes en direction du petit bois. Cathy avait eu le temps d'entrevoir une chevelure rousse : elle devina que le visage pâle et les pleurs étaient ceux de Leanne. Elle se leva d'un bond et partit à sa poursuite.

Sur le bord de la route, alors qu'elle vérifiait qu'aucune voiture ne venait, Cathy aperçut deux autres silhouettes à quelque distance. Elle reconnut Justin et Vicki Simpson, les jumeaux de l'école, qui promenaient Antonia, le caniche de leur tante. Quand ils virent Cathy, ils marquèrent une pause.

A leur sourire méchant, elle comprit qu'ils avaient traumatisé Leanne au point de la faire fuir en pleurs dans les bois. Son tee-shirt bleu et blanc avait déjà disparu entre les mélèzes...

– Salut, Cathy.

Justin traînait la semelle, les mains dans les poches, une brindille d'herbe à la bouche. Vicki tenait le caniche en laisse. Le petit chien était tout pantelant sous la chaleur.

– On s'est dit qu'on allait rendre une visite à ce vieil Henry.

– Si vous voulez.

Elle jeta un coup d'œil inquiet dans la direction prise par Leanne.

– Il est sur la pelouse. James est allé lui chercher à manger. Surtout ne le laissez pas sortir de son aire de jeux. D'accord ?

Vicki renversa ses cheveux châtains en arrière et posa son avant-bras bronzé sur le portail.

– Pour qui tu nous prends ?

A cet instant, la laisse en cuir rouge d'Antonia lui échappa. La chienne piqua un sprint vers le terrain de jeux du hamster.

– Attention ! cria Cathy à James qui venait de réapparaître sur la véranda.

Mesurant aussitôt le danger, il sauta au bas des marches pour écarter Antonia. Le caniche se mit à aboyer. Blackie, enfermé dans la cuisine, commença un raffut de tous les diables. Eric, qui sommeillait sur le tapis, fit soudain le dos rond.

Rapide comme l'éclair, James s'empara de Henry juste au moment où Antonia bondissait dans son pré carré. Derrière, Vicki fit valser les planches en rattrapant la laisse de la fugitive. Adossé au portail, Justin riait à perdre haleine.

– Ce n'est pas drôle ! gronda Cathy. Et ce n'est pas drôle non plus de faire pleurer Leanne. Qu'est-ce que vous lui avez dit ?

Elle n'aurait probablement pas dû défier Justin, qui ne manquait jamais une occasion de moucher ses interlocuteurs.

– Hé, pas la peine de s'énerver ! On est drôlement susceptible tout d'un coup, hein ?

– Vous pourriez quand même laisser les enfants du camping tranquilles. Tout le monde est après eux comme si c'était une bande de criminels !

Son regard jetait des flammes. Antonia avait cessé ses aboiements, fermement tenue en laisse par Vicki. Celle-ci voulut caresser le hamster, et James le lui présenta à bout de bras. Mais Henry ne semblait pas trop affecté par son aventure.

– D'après ma tante, ce sont des vandales, ricana Justin. Elle n'a que ce mot à la bouche depuis qu'on est chez elle. Ils ont bien cassé des pots de fleurs, non ? Et elle dit que ceux qui vont les remplacer la semaine prochaine ne seront pas mieux.

Il semblait se réjouir de toutes ces discordes. Un sourire mielleux sur les lèvres, il alla rejoindre sa sœur sur la pelouse. Cathy ne décolérait pas. Incapable de rester plus longtemps en leur compagnie, elle prit la direction du petit bois, tout en sachant qu'elle avait désormais peu de chance de retrouver la piste de Leanne.

Les branches des mélèzes filtraient la lumière du soleil. Dans la pénombre silencieuse, l'humus odorant était moelleux sous les pas. Mais de Leanne, aucune trace...

7

– Emmenons Henry faire une promenade, suggéra James en fin d'après-midi.

Assise sur la balançoire, le hamster assoupi sur ses genoux, Cathy avait le regard perdu dans le vague. L'idée pourtant la séduisit.

– Allons au bord de la rivière. Avec un peu de chance, on tombera sur Leanne et on la laissera jouer avec Henry.

Le souvenir de la fille aux cheveux roux s'enfuyant dans le bois, le visage baigné de larmes, restait présent à son esprit. Depuis leur rencontre le premier jour, elles ne s'étaient pas revues autant que Cathy avait espéré. Leanne avait bien rendu une ou deux visites à Henry, mais les rumeurs qui circulaient l'avaient apparemment beaucoup affectée. Elle semblait même se cacher à l'approche de Cathy, lorsqu'elle se promenait dans le village ou le long de la rivière. Elle avait l'air toujours triste, et cet épisode avec les jumeaux Simpson ne faisait qu'empirer les choses.

– Je me demande ce qu'ils lui ont dit, marmonna Cathy en remettant Henry dans sa cage.

James rabattit le couvercle.

– Qui donc ?

– Les jumeaux. A Leanne. Je suis sûre qu'ils lui ont fait beaucoup de peine.

Elle lui parla des bruits de pas et des pleurs qu'elle avait entendus.

– Ah, ces deux-là ! C'est à ça que tu pensais depuis tout à l'heure ?

– Oui.

La cage dans les bras de James, ils traversèrent la route et coupèrent le pré en diagonale en direction de la rivière.

– C'est déjà assez dur pour Leanne de ne pas se sentir admise par ses camarades de Kingsmill : elle n'a pas besoin de venir ici en vacances et de se faire insulter !

– Espérons que Henry lui remontera un peu le moral.

Ils gravirent un échalier pour passer dans le pré où se trouvaient les caravanes.

Chrissie Searle fut la première à les accueillir d'un signe de la main.

– Je vais à Walton acheter du charbon de bois. Nous organisons un barbecue demain soir. Vous viendrez ?

Une jambe sur le marchepied du mini-bus, elle était prête à se hisser au volant du véhicule. En l'espace d'une semaine, le soleil avait éclairci ses cheveux blonds et bruni sa peau.

– Si vous avez toujours envie de vous mêler à des individus de notre espèce, bien sûr !

– Rien ne nous en empêchera.

Chrissie grimpa sur son siège et mit le moteur en route.

– Parfait ! Alors à sept heures et demi demain soir !

Le minibus s'éloigna. Pete Cavendish sortit du magasin, suivi par quelques enfants. Bientôt Cathy, James et Henry s'intégrèrent au petit groupe. Marcie passa à la ronde son sac de chips. Paul sortit son ballon de foot et commença une partie. Sonia, assise dans l'herbe, raconta à Cathy comment elle avait été réveillée au beau milieu de la nuit.

– Il faisait noir comme dans un four !

Cathy prit place à côté d'elle, avec Henry toujours dans sa cage.

– En pleine nuit… Je me réveille, et j'entends ce bruit juste à l'extérieur : boum-boum-boum…

Sonia ouvrit grand ses yeux gris et chuchota :

– J'étais morte de peur, tu peux me croire ! J'ai donné un coup de coude à Marcie. Leanne était déjà assise dans son lit, bien réveillée.

Le boum-boum-boum continuait et toute la caravane s'est mise à tanguer. J'ai écrasé mon oreiller sur la bouche pour ne pas crier. Même Marcie s'est agrippée à moi. Mais Leanne est sortie de son lit et elle a ouvert la porte comme s'il faisait jour dehors ! Et on a vu ces yeux blancs énormes fixés sur nous. J'ai cru que j'allais m'évanouir. Puis Leanne s'est mise à répéter : « Gentil, gentil… » et à faire de drôles de bruits avec sa langue. Moi, je pouvais à peine respirer, tellement j'avais la trouille. Leanne a pris des morceaux de sucre dans le bocal et les a donnés à cette énorme chose qui soufflait et éternuait sur nous. Elle avait presque passé la moitié du corps dans la caravane ! Cathy éclata de rire.

– Mais qu'est-ce que c'était ?

– Un cheval ! Enorme ! Et tout gris. Ou plutôt blanc comme un spectre sous la lune. Apparemment, il s'était échappé du champ à côté. Leanne n'a pas eu peur du tout. Elle lui a caressé le cou et lui a parlé doucement. Puis elle l'a ramené dans son pré. Et le plus incroyable, c'est qu'en revenant, elle avait l'air heureuse, comme si elle s'était bien amusée !

– Où est-elle maintenant ?

Cathy regarda au-delà du terrain de football, vers la rivière.

– Leanne ? J'en sais rien. Elle est sans doute allée se promener toute seule. C'est vraiment dommage. Marcie et moi, on la trouve sympa, mais elle n'est pas facile à connaître.

Sonia aperçut une silhouette sur la rive.

– Oh, la voilà, en train de rêvasser comme d'habitude.

La cage du hamster dans les bras, Cathy se dirigea vers la rivière, tandis que Sonia tournait son visage vers le soleil.

En s'asseyant à côté de Leanne, qui regardait l'eau tourbillonner à ses pieds, Cathy ne prononça pas un mot. Elle se contenta d'installer Henry sur ses genoux et de lui chatouiller les oreilles avec un brin d'herbe. Elle attendait que Leanne fasse le premier pas. Celle-ci finit par lui jeter un regard en biais.

– Salut, Cathy, dit-elle d'une voix morne. Salut, Henry.

– Salut.

Cathy lui tendit le hamster.

– Tu ne trouves pas qu'il a perdu du poids ? Le régime de James fait des merveilles.

Elle prit garde de ne pas mentionner l'incident de l'après-midi avec Justin et Vicki.

Leanne leva le hamster à hauteur de ses yeux. Puis elle le frotta contre sa joue.

– Et il est toujours aussi doux !

– Son poil est plus brillant qu'avant. C'est grâce à l'exercice et à une meilleure alimentation.

Leanne poussa un gros soupir. Elle redonna le hamster à Cathy et ramena ses genoux sous son menton.

– Je pars après-demain.

– Je sais. Tu es contente ?

– Dans un sens, oui. Contente de revoir ma mère. Mais je ne verrai plus Henry, n'est-ce pas ?

Cathy hésita.

– Tu pourras lui rendre visite. Quand tu veux.

Mais Leanne se détourna.

– Ça m'étonnerait.

– Oh, oublie ce que racontent les gens d'ici. Et ne fais pas attention aux imbéciles comme Justin et Vicki. Laisse-les dire. Nous, on trouve super de vous avoir ici. James et moi, bien sûr, mais aussi mes parents, ma grand-mère et mon grand-père. Et la famille de James. On est tous contents de recevoir des campeurs dans notre village.

Un bref sourire flotta sur le visage de Leanne.

– Mais tu n'as pas entendu la dernière ?

– Quoi encore ?

– Tu vois où sont les courts de tennis ?

– Oui, là-bas, fit Cathy, le doigt pointé en aval de la rivière.

– Ils ont planté de nouveaux arbres sur la rive.

– Je sais.

Cathy avait vu les arbrisseaux dont les troncs étaient soutenus par des pieux de bois et protégés sous un tube de plastique.

– Hé bien, quelqu'un est allé là-bas et en a cassé deux comme des allumettes. Sans raison apparente. Personne n'a vu quand c'est arrivé. Mais je te laisse deviner qui se retrouve sur le banc des accusés...

Leanne se tourna vers Cathy, les yeux emplis de colère.

– Oh, non, ça recommence !

– Tu vois. Dès qu'il se passe quelque chose de moche ici, on nous le colle sur le dos. Et ces jumeaux ne se sont pas gênés pour me le faire savoir, tu peux me croire !

– Cet après-midi ?

– Je marchais tranquillement vers la maison de James quand ils m'ont vue et arrêtée. Lorsqu'ils ont appris que j'étais au camping, ils se sont mis à crier et à m'insulter.

– Qu'est-ce qu'ils ont dit ?

Cathy se sentait partagée entre la honte et l'indignation.

– Des tas de choses. Ils nous ont traité de vandales et d'autres politesses de ce genre. Ils disaient qu'on devait retourner d'où on venait, que tout le monde ici nous détestait !

– Pas nous ! se récria Cathy.

Elle réfléchit.

– Il a pu arriver n'importe quoi à ces arbres. Comme pour les pots de fleurs de Walter ! Je vais rentrer à la maison pour interroger mon grand-père. Il est au courant de tout ce qui se passe au club de tennis !

– Merci, Cathy, mais c'est trop tard.

– Non. On aura le fin mot de cette histoire.

– J'espère que tu as raison. Ce que je veux dire, c'est que c'est trop tard pour nous. Trop tard pour moi. Je ne pourrai pas revenir à Welford. Pas après une semaine comme celle-ci. Je n'oserai même pas m'y montrer !

– C'est ce que vous pensez tous? Marcie, Sonia, Paul et les autres?

– Plus ou moins. Écoute, ce n'est pas ta faute. N'en parlons plus, Cathy.

Leanne se leva et se passa la main dans les cheveux.

– J'espère seulement que ceux qui viendront après nous à Welford s'entendront mieux avec les gens du village. Peut-être que c'est juste après nous qu'ils en ont…

– J'en doute, dit Cathy, songeant au scandale qu'allaient susciter M. Western, Mme Ponsonby et Mme Parker Smythe autour de la dernière « preuve » contre les campeurs.

Leanne haussa les épaules et s'apprêta à regagner les caravanes. Puis, se souvenant de Henry, elle se baissa pour regarder dans sa cage.

– Au revoir, Henry.

Le hamster cligna des yeux et s'approcha.

– Tu crois qu'il comprend que je lui dis au revoir? demanda Leanne.

Cathy n'eut pas le cœur de répondre. Elle regarda son amie s'éloigner, les yeux pleins de larmes devant la tristesse et l'injustice de la situation.

8

– On ne peut pas dire que ce soit une très belle journée pour un barbecue, commenta Mamy en arrivant à l'Arche des Animaux le lendemain matin.

La nuit, le ciel s'était couvert et un fort crachin commençait à tomber.

– Pas une très belle journée pour n'importe quoi.

En blouse blanche, Cathy affichait une mine renfrognée. Les consultations ne devant pas débuter avant une demi-heure, elle s'occupait à ranger le bureau de Jane Knox.

– Qu'est-ce qui ne va pas ?

Mamy gravit les marches du perron et posa son cabas sur une chaise.

– Ce cafard ne te ressemble pas, ma chérie.

Elle sourit à son fils, Adam Hope, déjà au

travail. Il préparait Jemina pour sa sortie après son opération.

– Bonjour, maman. Quel bon vent t'amène ? Ou devrais-je dire « quelle mauvaise pluie » ?

– Ce serait plus approprié, en effet.

Surprise par l'atmosphère pesante, Mamy interrogea son fils du regard.

– Pas la peine de me donner du souci, maman. Pourquoi ne demandes-tu pas à Cathy de te raconter la suite du feuilleton de l'été ? Il y a des rebondissements tous les jours. Et tu as raté le dernier épisode !

Mamy commençait à voir clair :

– Tu veux parler de ces arbres cassés ? Oh, oui, j'en ai entendu parler. Tom s'est rendu sur place.

Pour se rendre utile, elle aida Cathy à trier des brochures sur les vaccins contre la grippe des chats et autres maladies courantes.

Lorsque le téléphone sonna, Mamy fut la première à décrocher.

– C'est pour toi, ma chérie. Maman te passe un appel depuis la maison.

Cathy se demanda qui cela pouvait être.

– Allô ?

– Allô, fit une petite voix hésitante. C'est moi, Imogène.

– Ah, bonjour ! répondit Cathy, s'efforçant

de cacher sa surprise. Tu as un problème avec Marco et Polo ?

Quelle autre raison pouvait avoir Imogène de l'appeler ?

– Non, ce n'est pas ça. Je voulais te dire que je suis désolée.

– De quoi donc ?

– Ma mère a envoyé à la mairie une longue liste de noms et de signatures.

– La pétition ! Elle est vraiment partie ?

– Ce matin. Est-ce que ça veut dire que les caravanes vont être obligées de partir ? Les gens du village ont vraiment une dent contre ces jeunes, pas vrai ?

– Certains en tout cas. Merci de me prévenir, Imogène.

Il y eut une longue pause.

– Tu avais autre chose à me dire ?

– Non… Ou plutôt, oui ! Tu peux passer à la maison ?

La voix tremblota, comme chargée de larmes.

– J'ai besoin de te confier quelque chose. Un secret. Mais pas au téléphone.

– Entendu, j'essaierai de passer tout à l'heure.

Cathy se souciait davantage de la pétition. M. Western, Mme Ponsonby et la mère d'Imogène étaient décidés à faire feu de tout bois pour se débarrasser des caravanes.

– Au revoir, dit-elle un peu distraitement, avant de raccrocher.

Elle se tourna vers sa grand-mère.

– On dirait qu'ils vont gagner la partie. Je parie qu'ils ont passé la semaine à récolter des signatures. Et maintenant ils vont prétendre qu'ils ont des preuves formelles !

– Tu parles de preuves ! ironisa M. Hope.

– Le conseil municipal va avoir droit à toute la litanie : les pots de géraniums, les vaches en liberté sur la lande et maintenant les arbres cassés. Ils vont réclamer le retrait du permis de camper à cause des prétendus dégâts causés par les jeunes de Kingsmill. C'est injuste, pas vrai, Mamy ?

– Absolument ! D'après Tom, il aurait fallu des enfants d'une force surhumaine pour briser ces jeunes arbres. Ils étaient trop robustes pour se casser si facilement.

– Exactement ! approuva Cathy.

– C'est pour ça qu'il a voulu se rendre compte par lui-même.

– Méfiez-vous des suppositions et des apparences, mit en garde Adam Hope. Cela vous rabaisserait au niveau de la clique de Sam Western !

– Jamais de la vie! se récria Cathy. Il ne s'agit pas de simples suppositions, papa!

Son dialogue avec sa grand-mère avait réveillé son ardeur au combat.

– Prenons les pots de fleurs, par exemple: n'importe quel client du pub aurait pu monter dans sa voiture et les renverser en faisant marche arrière!

– Sans même s'en rendre compte, ajouta Mamy. A présent, tu dois examiner ces pistes jusqu'au bout. Si tu tiens sincèrement à aider tes amis du camping, bien sûr.

– Tu as raison, Mamy!

Le menton relevé, le regard décidé, Cathy entra dans le cabinet de consultations.

– Papa, tu n'as pas vraiment besoin de moi ce matin?

– Non. Jemina est prête, le révérend Hadcroft peut venir la chercher. De toute façon, Simon sera là d'une minute à l'autre. Il n'y a pas beaucoup de rendez-vous aujourd'hui, je crois. Pourquoi?

– Tu sais très bien pourquoi! Je veux courir voir Papy. Ensuite, je passerai voir Imogène à la Tour du Guêt. Après, je ne sais pas. Tout dépendra de mes progrès.

– Quels progrès? s'enquit son père, faisant mine de ne pas comprendre.

– Ceux de mon enquête, pardi ! J'ai l'intention de démasquer les vrais coupables ! Ce n'est pas juste que le camping soit toujours sur la sellette. Ça risque de gâcher les vacances de tous les enfants qui doivent venir ici.

– Je te reconnais bien là ! dit M. Hope en embrassant sa fille. Fonce !

Cathy ôta sa blouse et l'accrocha à la patère.

– Merci, papa.

Sans plus attendre, elle sortit au pas de course chercher son vélo et se dirigea à grands coups de pédale vers le club de tennis.

Courbé sous la bruine dans son manteau vert, Papy contemplait d'un air songeur les deux arbres abattus. Les troncs pointaient leur tête laiteuse à travers la brume. Il leva les yeux en entendant Cathy qui courait à sa rencontre.

– Bonjour, ma chérie. Tu n'as pas pris ton blouson ? ajouta-t-il en jetant un œil vers les nuages lourds. Qu'est-ce qui t'amène ici ?

– Je te cherchais, Papy.

Elle foula les hautes herbes jusqu'à lui. Derrière s'étendaient les courts de tennis, lisses comme des tables de billard.

– Ce sont les enfants du camping qui ont fait le coup ?

– Tu veux un avis d'expert ?

Elle hocha la tête avec impatience. Son grand-père connaissait tout sur les plantes et sur le jardinage.

– A mon avis, il est impossible de faire une telle chose à mains nues.

– Oh, Papy ! s'exclama Cathy en inspirant un grand coup.

– J'en mettrais ma main au feu. Quand tu veux arracher une pousse indésirable dans ton jardin, une grosse ronce par exemple, ou un figuier sauvage, hé bien il te faut toute ta force pour la casser. Et ces deux arbrisseaux sont beaucoup plus gros qu'une ronce…

– Alors qui a pu faire ça ?

Papy s'accroupit pour examiner les troncs.

– Difficile à dire, soupira-t-il. Mais regarde : ce tube en plastique qui protégeait le tronc est déchiré jusqu'au sol, et il y a des griffures sur l'écorce. A mon avis, ça a été fait par une machine…

Il promena son regard le long de la rivière, comme s'il espérait apercevoir l'arme du crime.

– Quelle sorte de machine ?

– Va savoir… Mais pour venir jusqu'ici, il

faudrait un 4X4, un tracteur ou quelque chose dans ce genre. Oui, un engin lourd et costaud. Il a dû accrocher les arbres au passage.

– Mais les enfants sont hors de cause ?

– Oui, de toute façon.

Le cœur gonflé d'espoir, Cathy salua son grand-père et enfourcha de nouveau sa bicyclette en direction de la Tour du Guet. Papy promit de faire circuler son verdict parmi les gens du village pendant que Cathy rendait visite à Imogène Parker Smythe.

– Mais il est sans doute trop tard pour arrêter la pétition, cria-t-il. Et n'oublie pas : il y a d'autres incidents censés impliqués les jeunes du camping.

Cathy refusa de se laisser décourager. Tandis qu'elle gravissait la colline, le souffle court, les mollets douloureux, elle eut le pressentiment que sa prochaine visite allait contribuer à réhabiliter les enfants de Kingsmill. Le coup de fil d'Imogène était si imprévu. Et elle avait paru troublée, comme si quelque chose d'important la tracassait. En arrivant enfin à la Tour du Guet, Cathy trouva le portail ouvert et un chat noir en pelote au milieu de l'allée. Elle alla directement sonner à la porte d'entrée. Heureusement, ce fut le père d'Imogène et non sa mère qui ouvrit la porte.

– Bonjour, dit M. Parker Smythe, un peu surpris de trouver Cathy en nage et toute échevelée. Tu viens voir Imogène ?

Il avait l'air très décontracté dans son pull de golf vert pomme, une main sur la poignée de la porte. Imogène descendit les marches de l'escalier quatre à quatre.

– Cathy vient jouer avec moi ! cria-t-elle, en se glissant devant son père. Je l'ai invitée !

Elle tira Cathy par le bras dans le hall carrelé puis en haut de l'escalier. Elle était plutôt petite pour ses sept ans, mais ronde et robuste. Cathy se sentit propulsée dans la luxueuse chambre d'Imogène – avec télévision, téléphone, salle de douche et montagne de peluches.

Imogène s'empressa de fermer la porte.

– Je suis contente que tu sois là ! hoqueta-t-elle, toujours sans lâcher le bras de Cathy.

Elle avait les joues en feu et l'expression inquiète d'une comploteuse.

– Tu te sens bien, Imogène ?

Cathy s'enfonça dans le lit trop mou, recouvert d'une broderie blanche. Un panda géant et un ours rose basculèrent sur ses genoux.

– Oui ! Plutôt non ! Oh, la la !

Imogène s'effondra à côté d'elle, en larmes.

– J'ai quelque chose à te dire, mais maman va être très fâchée avec moi. Si seulement j'en avais parlé plus tôt, ils n'auraient pas eu tous ces ennuis !

– Mais de qui parles-tu ? Qui n'auraient pas eu ces ennuis ?

Cathy s'efforçait de la rassurer en prenant sa voix la plus douce.

– Les jeunes du camping. On va les chasser, n'est-ce pas ? Et tout ça à cause de ces pots de fleurs. Maman dit que de toute façon ils l'ont bien mérité, et que c'est ma faute parce que j'ai laissé croire que c'étaient eux, et après c'était trop tard !

Imogène éclata en sanglots et enfouit son visage entre les mains.

– Trop tard ? répéta Cathy. Il n'est jamais trop tard, Imogène. Dis-moi ce qui s'est vraiment passé. Tu connais la vérité, n'est-ce pas ?

La mort dans l'âme, la petite fille releva la tête.

– J'ai tout vu. Maman était en train d'acheter le journal à la poste. Je suis restée dans la voiture…

– Continue. Ce n'est pas bien de laisser quelqu'un accuser à tort. Tu n'aimerais pas que ça t'arrive, n'est-ce pas ?

Imogène fit non de la tête.

– Je n'ai pas remarqué les pots de fleurs d'abord. Je regardais le chat.

– Quel chat ?

– Celui de M. Pickard. Il prenait le soleil sur le muret.

– Ça doit être Tom. Et après ?

– Tout à coup, un petit caniche s'est précipité vers lui en aboyant. Il s'est mis à sauter au pied du mur. Tom a sorti ses griffes, mais le chien sautait toujours plus haut. Jusqu'à ce qu'il atterrisse dans les pots de fleurs ! Il les a tous envoyés valser ! Tom s'est enfui et le chien s'est tu. Quand maman est sorti de la poste, ils avaient tous les deux disparus. Les géraniums étaient par terre et les pots en mille morceaux !

– Et ta mère n'as pas vu la scène ?

De nouveau, Imogène fit non de la tête.

– Tu sais à qui était ce chien ?

– C'était un petit caniche blanc avec un collier rouge. Ils l'ont appelé plusieurs fois. Ils l'appelaient Antonia, mais elle n'a pas répondu.

– Qui ça, ils ?

Cathy fronça les sourcils. Il y avait donc eu plusieurs témoins de l'incident, mais personne n'avait parlé. Elle se sentait gagnée par la colère.

– Je ne sais pas. C'était des grands, une fille et un garçon. Ils se ressemblaient. Sans doute des jumeaux. Maman est montée dans la voiture et je n'ai rien dit en pensant que le grand garçon et la fille seraient punis. Et puis tout le monde a accusé les jeunes du camping, et c'était trop tard.

Imogène se mit à pleurer à chaudes larmes.

– Vicki et Justin Simpson ! s'exclama Cathy.

La vérité éclatait. Cathy se leva, triomphante. C'était la première preuve que les jeunes du camping étaient innocents !

Quittant la pièce, elle trouva M. Parker Smythe au pied de l'escalier. Elle lui expliqua pourquoi Imogène était bouleversée. Il écouta attentivement, puis prit les choses en mains.

– Écoute, je ne suis pas au courant de cette pétition, j'étais parti en voyage d'affaires toute la semaine. Mais d'après ce que tu dis, je ferais mieux d'apprendre à ma femme ce qui s'est réellement passé avec ces fleurs. Voilà qui jette une lumière nouvelle sur l'incident. Laisse-moi faire, je m'en occupe.

– Vous voudrez bien aussi passer le message à M. Western et à Mme Ponsonby ?

Cathy était ravie de la tournure que prenaient les événements. A présent, elle était impatiente de courir au camping pour faire part des progrès de son enquête ; les visiteurs étaient lavés de tout soupçon, aussi bien pour les géraniums que pour les arbres.

– Bien sûr, promit M. Parker Smythe.

– Remerciez Imogène de ma part, d'accord ? ajouta Cathy en se dirigeant vers la porte. Et proposez-lui de venir au barbecue ce soir. Elle pourra fêter la bonne nouvelle avec nous !

Cathy disparut sous la longue allée de chênes. Elle sauta sur son vélo, enfila les virages, traversa le village au moment où un soleil encore mouillé déchiraient les nuages. Elle se sentait légère et heureuse, elle avait envie de crier la nouvelle sur tous les toits du village.

– James va vouloir venir avec moi, dit-elle en poussant le portail du jardin. James !

La maison des Hunter était fermée. Pas de voiture dans l'allée. Même Blackie était silencieux. Seul Eric se promenait sur la pelouse, en balançant la queue de gauche à droite.

« C'est bizarre », se dit Cathy, s'arrêtant dans son envol. Elle remarqua des boutons de fleurs éparpillés sur l'herbe : une des plates-bandes de Mme Hunter avait été sauvagement piétinée. Des œillets gisaient en charpie sur le sol, leurs pétales disséminés aux quatre vents.

– James !

Cathy longea la maison pour voir s'il y avait quelqu'un de l'autre côté. Mais les portes et les fenêtres étaient closes. Cathy fut prise d'inquiétude. Qui avait piétiné les fleurs ? Est-ce qu'il y avait d'autres dégâts ? Elle retourna à l'avant de la maison puis monta lentement les marches de la véranda.

– Henry ?

Sa voix s'étrangla. La cage était bien là, sur l'étagère. Mais le couvercle était grand ouvert.

– Oh non !

Elle enjamba les deux dernières marches. Dans la cage, la paille était sens dessus dessous, le bol renversé, la litière gorgée d'eau. Même la roue d'exercice était couchée sur le côté, et la rampe d'accès à l'étage avait été arrachée.

– Henry !

Prise de panique, Cathy fouilla dans tous les recoins. En vain : la cage du hamster était vide. Henry avait disparu.

9

– Tu es sûr d'avoir bien fermé la cage ?
répétait Mme Hunter.

Debout sur la véranda, elle essayait de comprendre ce qui s'était passé. James était livide.
Depuis leur retour des courses, ils avaient
retourné tout le jardin mais à présent le garçon
restait les bras ballants devant la cage vide.

– Oui, je l'avais fermée ! J'en suis sûr !

– Regardez, le verrou a été forcé.

Cathy examina la serrure.

– Ce n'est pas la faute de James, madame
Hunter. Henry ne s'est pas échappé. On l'a
volé !

La mère de James posa ses courses et alla
sortir Blackie de l'arrière de la voiture. Le
chien sauta les marches et se mit à renifler le
sol de la véranda. Il aboya une fois puis, tête
baissée, redescendit sur la pelouse.

– J'ai l'impression qu'il a trouvé une piste.

Cathy réfléchissait. Les Hunter étaient rentrés au moment où elle découvrait la disparition du hamster. A l'annonce de la terrible nouvelle, James avait perdu ses couleurs.

– Blackie a repéré les traces d'un intrus. Pas vrai, mon vieux ?

Le labrador flairait les pétales d'œillet et les empreintes profondes laissées dans le massif de fleurs.

– Mais pourquoi ? Que s'est-il passé ?

James s'assit lourdement sur la dernière marche de la véranda. Il essayait de reprendre ses esprits.

– Cathy, qu'est-ce que je vais dire à Mlle Temple à la rentrée ? Je ne peux quand même pas lui annoncer que j'ai perdu Henry.

– Non, dit Cathy. D'ailleurs tu ne l'as pas perdu. On te l'a volé. Et celui qui a fait le coup a aussi mis le jardin à sac. Qui a bien pu faire une chose pareille ?

Les éléments tourbillonnaient dans sa tête. Henry avait disparu. La cage était vide. Les fleurs étaient perdues. Mais les pièces du puzzle ne s'imbriquaient pas.

– Et ce n'est pas tout, soupira Mme Hunter en claquant la porte de son coffre.

On est passés par le village en revenant du supermarché. Il y avait un peu d'agitation devant le pub. On s'est arrêtés pour savoir ce qui se passait. Un des enfants du camping manque à l'appel. Pete Cavendish essayait de mettre sur pied une sorte de battue.

James s'assit la tête entre les mains, sans réaction. Mais Cathy sentit la racine de ses cheveux lui picoter la nuque.

– Qui manque à l'appel ?

C'était le dernier jour des vacances pour les enfants de Kingsmill. Ils auraient dû être en train de préparer le barbecue de ce soir, au lieu de battre la campagne.

– Je ne me souviens pas de son nom.

Mme Hunter entra dans la maison les bras chargés.

– Tu t'en souviens, toi, James ? Cathy demande qui ils cherchent au village.

Le garçon leva les yeux.

– Leanne.

– Je l'aurais parié !

– Elle est partie se promener ce matin et on ne l'a pas revue depuis. Personne ne sait où elle est allée.

– Oh non ! s'exclama Cathy.

Une sensation désagréable venait de courir le long de son dos.

111

– James, tu ne crois quand même pas que Leanne… Elle n'a pas pu, n'est-ce pas ?

Cathy regardait la cage vide de Henry.

– Je vois où tu veux en venir : Leanne était désespérée à l'idée de partir demain et de ne plus jamais revoir Henry, sans compter qu'elle en avait assez de tous ces médisances. Alors elle est venue ici, elle l'a pris et elle s'est enfuie. C'est ça ?

– Je n'ai pas dit qu'elle l'avait fait ! Simplement elle aurait pu !

Tout bien considéré, c'était en effet une hypothèse très vraisemblable.

– Si seulement elle avait attendu une heure ou deux !

Encore choqué par la disparition de Henry, James se leva lentement.

– Pourquoi ? Quelle différence ça aurait fait ?

– On aurait eu le temps d'aller tous les deux au camping leur annoncer les bonnes nouvelles : les jeunes de Kingsmill ne sont pour rien dans l'affaire des pots de fleurs de Walter, et tout laisse à croire qu'ils n'ont pas non plus cassé les arbres !

Cathy raconta à James ce qu'elle avait appris dans la journée.

– Si Leanne avait su que les gens du village

n'avaient plus de raison de se montrer aussi méchants, elle ne se serait pas enfuie !

– Peut-être, fit Mme Hunter en leur apportant deux tasses de thé. Tiens, James, bois ça pendant que je téléphone à ton père au bureau. Je veux lui demander son avis. Je viens de vérifier dans la maison : tout est en place. Il n'y a que le jardin qui a souffert et bien sûr, ce pauvre Henry qui a disparu.

Cathy se rongeait les sangs en imaginant le sort du pauvre petit hamster sans défense ; Henry le myope, Henry le tendre, avec son poil couleur de marmelade d'orange et ses favoris qui frisottaient. Où était-il à présent ? S'occupait-on bien de lui ? Le voleur pouvait prendre peur et l'abandonner. Il était peut-être perdu au milieu de nulle part, incapable de se prendre en charge.

– J'espère seulement que Leanne prend soin de lui, se lamenta James.

Ses pensées avaient suivi le même chemin que celles de Cathy.

– Oh, j'en suis sûre. Elle adore Henry.

– Si c'est bien Leanne...

– Ils ont disparu tous les deux pratiquement au même moment. Et elle savait qu'elle ne reverrait plus jamais Henry ; elle m'a dit qu'elle ne reviendrait pas à Welford.

Il y eut un silence. Ils se sentaient déboussolés et dévorés d'inquiétude.

Mme Hunter réapparut.

– Je viens d'avoir ton père. Il ne se fait pas trop de souci. Il dit qu'on peut toujours acheter un autre hamster pour l'école.

James secoua la tête.

– Ce ne sera pas pareil.

– Ton père essaie simplement de comprendre. Il se demande par exemple quel intérêt avait le voleur de piétiner les massifs de fleurs. Je trouve ça très étrange, moi aussi.

Ils allèrent tous les trois sur la pelouse pour examiner les lourdes empreintes.

– Une chose est sûre, ce n'est pas un accident, dit Cathy. Quelqu'un a marché ici avec ses grosses bottes dans un but bien précis.

– Ton père dit que si cette Leanne est votre suspecte numéro un pour le kidnapping de Henry, vous devriez peut-être vous joindre à la battue pour la retrouver. C'est toujours mieux que de rester assis à se faire du mauvais sang.

Cathy ne fut pas longue à réagir.

– Emmenons Blackie avec nous. Je suis sûre qu'il a senti une piste. Il pourra peut-être nous guider jusqu'au coupable.

Ils se mirent en route avec le labrador. A

l'entrée du camping, ils tombèrent sur Chrissie Searle. Penchée sur une carte d'état-major, elle dirigeait Marcie et Sonia vers un petit bois où Leanne aimait se réfugier.

– Vous avez entendu la nouvelle ? leur demanda la jeune professeur, visiblement anxieuse.

Cathy hocha la tête.

– On est venu vous aider.

Elle jugea préférable de ne pas mentionner leurs soupçons au sujet de Leanne et Henry.

– C'est gentil de votre part, soupira Chrissie. Pauvre gosse, je crois qu'elle a été vraiment malheureuse ici.

– Qu'est-ce que vous attendez de nous ? demanda James, qui avait dû retenir Blackie en lui posant une laisse courte. On suit les autres ?

– Non. J'ai déjà couvert plus ou moins cette zone. Il n'y a pas encore de réelle panique. Leanne n'a disparu que depuis quelques heures. Mais Marcie l'a entendue pleurer hier soir, et ce matin personne n'a pu lui arracher un mot pendant le petit déjeuner. Puis elle s'est volatilisée. Avec Pete, on s'est dit qu'il valait mieux prendre les devants. Depuis le début du séjour on se faisait du souci à son sujet : elle était trop solitaire et cafardeuse.

Cathy se tourna vers James.

– Courons au village pour voir si on peut y être utile.

– Bonne idée.

Chrissie replia sa carte, prête à s'élancer sur la colline derrière les silhouettes déjà lointaines de Ben et Paul.

– Vous trouverez Pete en train d'organiser les recherches. La moitié du village s'est déjà portée volontaire pour nous prêter main-forte, à notre grande surprise !

Chrissie s'engagea sur le sentier, l'œil aux aguets.

Cathy fut quelque peu étonnée par la présence de Mme Ponsonby, en robe jaune moutarde. Elle se tenait au centre d'un petit groupe assemblé devant le « Fox and Goose » : il y avait là M. Parker Smythe, Pete Cavendish, Mme Platt, Walter Pickard et Ernie Bell.

Tous écoutaient attentivement le discours de Mme Ponsonby :

– Mon cher Walter, il semble que nous ayons fait fausse route depuis le début !

Sa voix puissante couvrit les murmures qui s'élevèrent de l'auditoire.

– Une méprise malheureuse, mais indéniable, j'en ai peur !

Interloquée, Cathy regarda James.

— Assis, Blackie ! ordonna celui-ci.

Malgré leur inquiétude à propos de Leanne et de Henry, ils ne pouvaient pas rater une si belle occasion d'entendre Mme Ponsonby proférer un mea culpa. Ils s'adossèrent en silence contre le mur du pub.

— Car aux dires de M. Parker Smythe, il y aurait des témoins oculaires ! Et nous n'avons aucune raison de mettre en doute la parole de M. Parker Smythe. Nous savons qu'il a toujours eu à cœur les meilleurs intérêts du village !

Cajoleuse, tout sourire, elle tenait Pandora sous un bras, tandis que Toby était patiemment assis parmi la forêt de pantalons et de jupes.

— J'apprends que les coupables étaient en fait ces coquins d'Antonia et de Tom, poursuivit Mme Ponsonby. Voyez-vous, Walter, ils se sont disputés, et vos pauvres géraniums en ont fait les frais ! Un simple accident, en somme. La petite Antonia peut se montrer un peu turbulente parfois, n'est-ce pas, Pandora ? Mais je suis sûre qu'elle ne pensait pas à mal.

Walter se gratta la tête.

— Tom a toujours été un peu gredin. Et une bonne bagarre ne lui fait pas peur.

Ce fut au tour de Mme Platt de présenter ses excuses, sur un registre moins dramatique.

– Si j'avais su qu'Antonia était mêlée à cette histoire, ou mon neveu et ma nièce, je serais venue tout de suite frapper à votre porte pour vous rembourser ces fleurs. Je suis vraiment désolée, Walter. Sincèrement.

– Bah, marmonna Walter, ce sont des choses qui arrivent.

Il contempla son muret d'un air résigné.

Dans le court silence qui suivit, Cathy, James et Blackie se joignirent au groupe. Mme Ponsonby reprenait son souffle. Elle rajusta son chapeau de paille et fit une annonce solennelle :

– Grâce à Imogène, l'adorable fille de M. Parker Smythe, la vérité éclate au grand jour. Nous devons être assez adultes pour reconnaître que nous avons commis une terrible erreur en accusant les jeunes du camping !

– Alors là, ça me coupe la chique, marmonna Ernie Bell avant d'adresser un clin d'œil à Cathy.

– Oui, s'écria Mme Ponsonby en levant la main pour réclamer le silence. Monsieur Western, Mme Parker Smythe et moi-même avons jugé trop vite. En leur nom à tous, j'exprime notre vœu de faire amende honorable !

Dans un bruissement de robe, elle se tourna vers Pete Cavendish.

– Pour vous prouver combien notre repentir est sincère, je puis vous assurer que le village tout entier prendra part aux recherches pour localiser cette malheureuse. Je crois comprendre qu'il s'agit d'une enfant fragile : nos accusations ont pu la pousser à la fugue.

Mme Ponsonby prit un ton chagriné.

– Autant dire que notre responsabilité est engagée...

Pete Cavendish acquiesça.

– Merci beaucoup, madame Ponsonby.

– Inutile de nous remercier. A présent, il nous faudrait une description.

– Hé bien, Leanne est plutôt petite et mince. Elle a des cheveux roux, mi-longs. Elle portait un tee-shirt bleu et blanc, un jeans et des tennis.

– Parfait, dit Mme Ponsonby. Faites passer le message, tout le monde ! Je vais téléphoner à M. Western pour l'informer de la situation. Ernie, accompagnez-moi à Blackfell Hall. Nous devons remuer ciel et terre. En avant !

Le visage du pauvre Ernie s'allongea. Malheureusement, il n'était pas question de discuter les ordres de Mme Ponsonby. Le petit groupe se dispersa. M. Parker Smythe promit d'inspecter la lande derrière la Tour du Guet, tandis que Walter prenait la direction du pub pour trouver des renforts.

– Nous allons descendre le long de la rivière vers la ferme de Greystone, dit Cathy à Pete. Leanne ne se promenait pas dans cette direction, mais raison de plus pour aller voir.

– Tu as peut-être raison.

– Vous n'appelez pas la police ? demanda James.

Il tenait toujours la laisse de Blackie. Apparemment excité par les récents événements, le labrador se montrait plus turbulent que d'habitude. Il gémissait et donnait de fréquents coups de collier.

– Pas encore. Si Leanne n'a pas réapparu en fin d'après-midi, nous aviserons. Mais je préfère que nous menions nos propres recherches avant de prévenir les autorités. Nous ne voulons pas être trop alarmistes : au bout du compte, on risque de découvrir qu'elle est juste partie faire une balade. Vous savez comment elle est.

Sa voix calme masquait mal son inquiétude.

– Allez-y, suivez la rivière, comme vous l'avez suggéré. On se retrouve tous à quatre heures au camping. D'accord ?

Cathy et James s'éloignèrent. Ils détachèrent Blackie, qui partit ventre à terre sur le sentier longeant le cottage de Walter, vers la rivière. Bientôt, on ne voyait plus que sa queue noire s'agiter au-dessus des hautes herbes.

– On dirait qu'il sait où il va, dit Cathy.

Ils furent obligés de courir pour ne pas le perdre de vue.

– Regarde, il a retrouvé la trace.

– Vas-y, cherche, mon vieux !

Parvenus au bord de l'eau claire, ils tournèrent sur la gauche. Au loin se profilait la ferme qui abritait la porcherie des parents de Brandon Gill. Blackie bondissait sur les galets du rivage, tandis que les deux enfants suivaient tant bien que mal sur le sentier étroit.

Cathy ramassa un grand bâton pour écarter les taillis et les orties.

– Au moins il ne pleut plus, dit James. C'est déjà ça.

Soudain il se figea.

– Chut ! Ici, Blackie ! Ici, mon vieux !

Cathy s'arrêta aussi, mais le chien poursuivit sa route, sourd aux appels.

– Qu'est-ce qu'il y a, James ?

– J'ai vu quelque chose.

Il s'accroupit et scruta à travers les buissons vers une clairière à environ une cinquantaine de mètres.

– Oui ! s'exclama Cathy en apercevant une tache bleue, puis une rouge. Ils sont deux !

Blackie déboula dans la clairière en aboyant comme un enragé. Cathy poussa un soupir.

– Aucune chance de les prendre par surprise. Quelle mouche a piqué Blackie ? Je ne l'ai jamais vu aussi désobéissant !

Ils entendirent une voix de garçon.

– C'est bon, James Hunter, on sait que tu es là ! Sors de ta cachette !

Cathy reconnut le ton sarcastique de Justin Simpson.

– Oh, non, pas lui !

C'était la dernière personne qu'elle avait envie de voir.

– Alors, vous n'êtes pas capable de tenir votre chien en laisse ? ironisa-t-il lorsque James et Cathy avancèrent dans la clairière.

– Tu peux parler ! rétorqua Cathy.

Elle sentit le sang lui monter aux joues. Elle salua Brandon et fit face à Justin. C'était sa chemise rouge qu'elle avait aperçue. Il s'amusa à provoquer du pied Blackie qui, assis juste hors de portée, continua de gronder.

– Qu'est-ce que vous faites par ici ? demanda Justin en glissant les pouces sous sa ceinture.

– Toi, tu n'es même pas capable de contrôler le caniche de ta tante !

Il saisit l'allusion et se détourna aussitôt pour éviter son regard.

– Qui t'a parlé de ça ?

– Aucune importance. On sait que c'est toi et Vicki qui avez laissé Antonia pourchasser Tom. C'est à cause de vous si les pots de fleurs ont été cassés !

– Vous avez des preuves ? bluffa Justin. Vous jouez les détectives ou quoi ?

– Du calme, intervint Brandon. James, qu'est-ce qu'il a, Blackie ? Il n'est pas dans son état normal.

Le chien s'était tapi sur le sol, prêt à bondir au premier signe de son maître. Il grognait sans quitter des yeux Justin.

Pour Cathy, ce fut comme une révélation. Oubliés les pots de géraniums. Oubliés Antonia et Tom. Son esprit venait de lever un nouveau lièvre.

– Des tennis ! murmura-t-elle.

– Qu'est-ce que tu racontes, Cathy ?

– Des tennis ! Rappelle-toi : Pete a dit que Leanne portait un tee-shirt bleu et blanc, un jeans et des tennis !

– Et alors ?

James tenait fermement son chien par le collier. Justin ne bronchait pas, Brandon attendait d'un air perplexe.

– Ce ne sont pas des tennis qui ont laissé ces empreintes dans ton jardin, James ! Mais une paire de bottes !

Elle regarda les chaussures de Justin. Lorsqu'il avait provoqué Blackie avec son pied, elle avait remarqué la boue collée à ses bottines noires.

– Ce n'était pas Leanne !

Ses exclamations fébriles excitèrent davantage Blackie. Il aboya et montra les crocs à Justin. Celui-ci continua à fanfaronner. Mais sous ses airs hâbleurs, Cathy devina une panique grandissante.

– A quel jeu tu joues ? demanda Justin.

Il eut une mimique de mépris.

Mais Cathy avait déjà acquis une certitude : Justin était mêlé à cette affaire d'une façon ou d'une autre. Blackie ne s'y était pas trompé : il avait suivi sa trace depuis le jardin des Hunter jusqu'à cette clairière. Justin avait piétiné les massifs de fleurs.

Et il y avait encore assez de terreau sous ses semelles pour le prouver.

– Où est Vicki ? demanda-t-elle.

Son regard fouilla les aubépines qui enser-
raient la clairière.

– Elle n'est pas là. Pourquoi ?

Lorsque Justin montait un sale coup, Vicki
n'était jamais loin derrière.

– Alors dis-moi où est Henry ?

Justin ricana.

– Tu es folle, Cathy Hope !

Brandon le retint.

– Du calme !

– Lâche-moi ! Reste en dehors de ça ! Et
toi, Cathy, tu as intérêt à ne pas répandre de
fausses rumeurs sur moi et ma sœur ! Tu n'as
aucune preuve, et de toute façon je dirai que
tu débloques ! Et que tu as lâché ton chien sur
moi, Hunter ! Je dirai à tout le monde qu'il a
la rage !

Justin se baissa pour ramasser une pierre
grosse comme le poing. Il la lança vers
Blackie, ratant sa tête de quelques centimètres seulement.

Brandon se jeta en avant pour empêcher le
labrador de sauter à la gorge de son agresseur.

– C'est toi le fou dangereux ici ! cria-t-il à
Justin.

Riant aux éclats, ce dernier escalada le
talus entre les arbres. Puis il sauta un muret et
disparut.

– Vite ! cria Cathy. Venez, vous deux. Nous devons trouver Vicki avant lui !

– Pourquoi ? demanda Brandon. Que se passe-t-il ?

Il caressa le nez de Blackie pour le calmer.

– C'est Vicki qui a volé Henry ! J'en suis certaine ! Allons chez Mme Platt. Il faut qu'on arrive les premiers : sinon, dieu sait ce qu'ils vont faire de Henry !

– Oui, reconnut Mme Platt, soucieuse. Oui, en effet, Vicki avait un hamster dans sa chambre. Je n'ai aucune idée d'où il sortait, et au moment où j'allais poser la question, Justin est entré en trombe dans la maison.

Encore toute essoufflée par sa course, Cathy se trouvait à la porte du petit pavillon propret de Mme Platt.

– C'était il y a combien de temps ?

La grand-tante des jumeaux réfléchit un long moment. « S'il vous plaît, vite », songea Cathy. Elle avait tout un chapelet de questions prêtes à jaillir de sa bouche.

– Oh, il n'y a pas longtemps. Quelques minutes à peine. A sa façon de claquer les portes et de foncer comme un taureau, il devait être très pressé.

– Vicki et lui sont ressortis tout de suite ?

– Oui. Il s'est précipité dans sa chambre

pour lui annoncer quelque chose d'urgent, j'imagine. Je n'ai pas eu le temps de me retourner qu'ils filaient tous deux vers la porte. J'ai entendu Antonia aboyer dans la rue. Ils n'ont même pas pris la peine de fermer le portail !

– Est-ce que Vicki a emporté Henry, je veux dire le hamster, avec elle ? Vous avez vu ?

Mme Platt fit oui de la tête puis fronça soudain les sourcils.

– Oh, la la, ils se sont fourrés dans un nouveau pétrin, n'est-ce pas ?

Cathy ne répondit pas. Justin les avait coiffés au poteau. Il avait dû couper à travers champs depuis la ferme de Brandon, et gagner le village avant eux.

– Vous savez où ils sont allés, madame Platt ?

– Oh non. Ils ne m'ont rien dit. Ils étaient beaucoup trop pressés.

Mme Platt surveillait du coin de l'œil Antonia, qui trottait à la rencontre de Blackie. James et Brandon étaient restés avec le labrador devant le portail. Soudain, elle les regarda avec stupéfaction.

– Vous ne croyez tout de même pas que Vicki a volé le hamster ? Oh, ce n'est pas possible !

– Et pourtant j'ai bien peur que ce soit la vérité. Vous avez vu dans quelle direction ils sont partis ?

Justin avait dû prévenir Vicki qu'ils étaient découverts. Sans doute prêts à tout, ils avaient aussitôt pris la clef des champs avec Henry.

– Attendez une minute. Oui, ils sont partis par là !

Mme Platt agita la main en direction de la rue principale, après le pub et l'église, vers la rivière.

– Quand je suis sortie chercher Antonia, je les ai vus prendre le sentier qui mène au camping !

– Merci !

Cathy rejoignit James et Brandon.

– Ils vont vers le camping ! Et ils ont Henry ! Venez, dépêchons-nous !

Tous trois piquèrent un sprint dans la grand rue du village. James laissa Blackie prendre les devants. En arrivant à hauteur de la pancarte du camping, le labrador franchit le portail comme une fusée.

– C'est ça, mon chien ! Où sont-ils, Blackie ? Vas-y, cherche !

Survolté, le chien slaloma entre les caravanes. Le camping paraissait désert. Tous ses occupants étaient partis explorer les alentours à la recherche de Leanne. Le flair de Blackie ne fut pas perturbé par d'autres odeurs.

– Que seraient venus faire ici les jumeaux ? s'étonna Brandon.

Il s'arrêta devant le magasin du camping pour reprendre son souffle. James se courba pour soulager un point de côté.

– Je n'en sais rien. Mais je te garantis que Blackie sait ce qu'il fait. Ils ont dû se cacher dans les parages.

Cathy ne lâchait pas le labrador.

– Vas-y, mon vieux, trouve-les !

Elle se jeta à quatre pattes pour regarder sous les caravanes. Mais Blackie s'était déjà faufilé de l'autre côté et agitait la queue pour l'inciter à le suivre.

Elle quitta le campement pour le pâturage en bordure de rivière. Blackie se retourna vers elle et émit un aboiement bref. Il se tenait à l'arrêt, les oreilles dressées, le poil dressé.

– Qu'est-ce qu'il y a ?

Lorsqu'elle arriva à sa hauteur, il s'assit sur son arrière-train, aboya de nouveau, avança de deux ou trois pas, puis revint.

– Montre-moi, Blackie ! Allez !

Elle le suivit sur la plage de galets. Vicki était là, tapie derrière une branche d'arbre qui ployait sur l'eau. Elle avait l'air terrorisé.

— Rappelle ton chien, Cathy ! Ne le laisse pas me mordre !

Malgré les cheveux qui masquaient en partie son visage, son désarroi était évident. Elle agrippait si fort la branche que les articulations de ses doigts en devenaient blanches.

— Ne crains rien, dit Cathy, il ne te fera pas de mal.

Elle tendit les mains.

— Vicki, je t'en prie, rends-moi Henry !

De grosses larmes roulèrent sur les joues de Vicki.

— Je ne peux pas, dit-elle en se cachant le visage derrière les mains. Je ne l'ai pas !

Brandon et James vinrent se poster derrière Cathy.

— Ta tante nous a dit que tu l'avais. Rends-le tout de suite.

— Non, je te promets, je ne l'ai plus ! renifla Vicki. Mais il va bien, ne t'inquiète pas.

— Où est-il ? Qu'est-ce que tu en as fait ?

— Je vais tout te raconter. Mais dis-lui de s'asseoir, James.

Elle attendit que Blackie obéisse aux ordres de son maître, puis elle s'approcha de Cathy.

– Tout ça est arrivé parce que j'étais jalouse. Quand James a eu le droit de rapporter Henry chez lui pour les vacances, j'ai trouvé que ça n'était pas juste !

Cathy se souvenait des commentaires amers et des regards noirs de Vicki ce jour-là, mais pour le moment, elle bouillait d'impatience.

– Vicki, on n'a pas le temps ! Dis-nous simplement où est Henry !

– Une seconde, Cathy. Écoute-moi d'abord. J'aimerais que tu comprennes, et après tu pourras dire à tout le monde ce qui s'est passé. Je ne veux pas que les gens me détestent !

Vicki était assez grande pour assumer la responsabilité de ses actes, mais Cathy ne put réprimer un mouvement de compassion.

– Ne t'en fais pas. Si on récupère Henry sain et sauf, le reste n'a pas d'importance.

– Il va bien, je t'assure.

– Alors vas-y, raconte.

– J'avais tellement envie de ramener Henry chez moi. Quand James a gagné le tirage au sort, j'ai eu du mal à le digérer. Toi et James, vous avez déjà tant d'animaux ! Bref, j'étais chez moi à me morfondre et à taper sur les nerfs de Justin. Quand on est partis quelques jours chez ma tante, il a eu une idée !

Absorbée par son récit, Vicki en oubliait sa peur de Blackie. Elle posa la main sur le bras de Cathy.

– On se tenait à carreaux depuis qu'Antonia avait renversé ces pots de fleurs. Mais il n'y a pas grand chose à faire à Welford. Alors Justin a eu une idée : « On n'a qu'à enlever Henry, puisque tu y tiens tant ! » Il pensait que ça me calmerait et que ça nous occuperait. Sa deuxième idée, c'était de faire porter le chapeau aux enfants du camping. Après tout, ça avait déjà marché avant. Je lui ai demandé comment il comptait s'y prendre. « Facile, on va chez James, on saccage le jardin, comme si les vandales avaient encore frappé. Et on n'a plus qu'à prendre Henry dans sa cage. » Il disait que personne ne nous soupçonnerait !

– Et tu as accepté ?

La lèvre de Vicki frémit.

– Je voulais juste m'occuper de Henry !

James s'approcha.

– Vas-y, Vicki. Tant pis pour les plates-bandes. Dis-nous ce qui s'est passé après.

– Le problème, c'est que Justin est devenu comme fou. Il a tout piétiné, je ne pouvais plus l'arrêter. Il disait qu'on croirait à un nouveau forfait des campeurs. Je suis vraiment désolée, James !

– Alors voilà ? Vous avez saccagé les fleurs puis forcé la cage de Henry ?

– Non, dit Vicki en inspirant un grand coup. C'est encore pire !

– Tu as intérêt à tout avouer, dit Brandon en dévalant le talus. Qu'on en finisse.

– C'est à propos de Leanne, pas vrai ?

Cathy tentait un coup de poker. Mais son petit doigt lui soufflait que Vicki pouvait aussi expliquer la disparition de Leanne.

– Comment le sais-tu ?

– Hé bien, elle a disparu, et à mon avis, elle avait une bonne raison de le faire. Vas-y, Vicki, raconte-nous la suite.

– Je sortais Henry de sa cage. Justin venait de forcer la serrure avec un tournevis qu'il avait apporté. On allait s'éclipser en douce quand soudain le portail s'est ouvert : c'était Leanne. Tu aurais dû voir sa tête, Cathy. Comme si elle avait reçu une gifle. Quand elle m'a vu avec Henry dans les mains, elle a eu une sorte de hoquet. Elle a laissé tomber un sac de nourriture qu'elle avait apporté pour lui et elle est devenue pâle comme un linge. Elle a essayé de me reprendre Henry, mais Justin s'est interposé et lui a dit qu'elle avait intérêt à la fermer.

Cathy imaginait bien la scène : Leanne tentant de sauver Henry, Justin jouant les durs. A deux contre un. Aucune chance.

– Justin s'est moqué d'elle. Il a dit qu'il la dénoncerait quand on découvrirait le vol. Que tout le monde la croirait coupable parce qu'elle adorait Henry. Et que de toute façon, tout le monde la détestait !

Cathy fronça les sourcils.

– Comment a-t-elle réagi ?

– Elle s'est décomposée, puis elle a pris la fuite. Justin trouvait ça très drôle. Il est parti comme si de rien n'était.

– Tu sais que Leanne n'a pas reparu depuis ?

Vicki hocha piteusement la tête.

– Je suis désolée.

Cathy n'était pas sûre que ces regrets suffisent. Les jumeaux avaient infligé à Leanne et Henry la peur de leur vie. Et ces derniers étaient toujours portés disparus…

– Tu dis que Henry est en sécurité. Alors conduis-nous jusqu'à lui.

Cathy avait parlé d'une voix un peu cassante, mais pour l'heure elle ne pouvait s'en empêcher.

– Je vais vous montrer.

Guidés par Vicki, ils gravirent le talus et traversèrent le camping.

– J'ai su tout de suite qu'on avait fait quelque chose de mal. Quand Justin a fait irruption chez ma tante, je lui ai dit que je voulais rapporter Henry. J'avais eu le temps de réfléchir. Il est entré dans une rage folle. Il a dit que le plan avait échoué de toute façon, que tu avais découvert le pot aux roses. Je lui ai répondu que ça m'était égal. Je voulais juste remettre Henry dans sa cage.

– Justin est là-bas ? demanda James. Chez moi ?

Ils se remirent à courir dans le pré, Blackie de nouveau en laisse.

– Oui, il s'est résigné. Mais il voulait rapporter Henry lui-même. D'après lui, je risquais de tout gâcher. Il m'a dit de l'attendre ici. Que personne ne le verrait.

Cathy n'aimait pas savoir Henry entre les mains de Justin.

– Est-ce que ta maman est à la maison ? demanda-t-elle à James.

Celui-ci hocha la tête.

– Mais Justin peut se glisser dans le jardin sans être vu, n'est-ce pas ? insista Vicki.

– J'espère. Sinon...

Brandon fut le premier au portail. Il pointa le doigt sur la route.

– Voilà Justin qui arrive !

Ils entendirent ses pas sur la goudron puis ils le virent se pencher et fourrager dans la haie. Il se redressa pour regarder rapidement autour de lui. C'est alors qu'il les aperçut. Sa mine s'allongea.

– C'est bon, l'interpella Cathy. Vicki nous a tout raconté. Ça n'a plus d'importance, du moment que Henry rentre au bercail.

Elle voulait l'entendre confirmer que le hamster était paisiblement blotti dans sa cage. Ces mots, et rien d'autre.

Il se balança en arrière sur ses talons et ricana.

– Tu rêves !

– Qu'est-ce que tu veux dire ? demanda Vicki. Justin, tu avais promis de rendre Henry.

– Trop risqué, dit-il en haussant les épaules. Il y avait quelqu'un dans la maison. Impossible d'approcher sans se faire repérer.

– Qu'as-tu fait de Henry ? pressa Cathy. Où est-il ?

– Comment veux-tu que je le sache ?

Justin rougit légèrement, mais cacha ses remords derrière une ultime bravade.

– Tu n'as pas vu ? Je viens de le balancer dans la haie là-bas.

Du pouce, il pointa par dessus son épaule.

– Quel mal à ça ? Je lui ai rendu service, non ? Il n'aura plus à s'épuiser sur cette roue de torture. Fini la prison ! Je l'ai relâché dans la nature. Eh oui, j'ai libéré le hamster !

10

Cathy était affolée. Relâcher Henry dans la nature, c'était comme prononcer son arrêt de mort ! Il allait faire une proie idéale pour les renards, les blaireaux, les chiens ou les chats. Elle se baissa pour fouiller les basses branches de la haie, dans l'espoir que le hamster se soit simplement roulé en boule en attendant qu'on vienne à son secours. Mais aucun signe de vie…

– Au moins, on sait qu'il est toujours quelque part par ici, dit James. Il ne peut pas avoir couru sur la route, on l'aurait vu !

Elle hocha la tête.

– Bon, retournons dans le pré et dispersons-nous ! Vicki, tu veux nous aider ? Nous avons besoin de toutes les bonnes volontés. Henry ne survivra pas longtemps si nous le laissons seul et sans défense !

Vicki regarda Justin, dont le visage était à présent rouge de honte. Il penchait la tête en avant et se balançait maladroitement d'un pied sur l'autre.

– Oui, on va vous aider, dit la jumelle d'une voix ferme. C'est la moindre des choses. Viens, Justin, tu feras le guet ici sur la route. Allons-y!

Et elle mena la petite bande dans le pré.

Ils regardèrent partout. Dans les touffes d'herbes comme dans les trous de taupe. Ils passèrent le champ au peigne fin. Brandon sortit de ses poches des miettes de biscuit. Ils essayèrent de faire sortir Henry de sa cachette en les semant à la lisière de la haie. Sans résultat.

Puis ils recrutèrent en renfort les enfants qui regagnaient le camping. On avait cherché en vain Leanne, on se mit à chercher Henry. Bientôt la moitié du groupe de Kingsmill fouillait les sous-bois et la rive.

Vers quatre heures, les espoirs de Cathy avaient réduit comme une peau de chagrin.

– Il ne peut pas s'être volatilisé! protesta Vicki.

Ils se rassemblèrent tous devant le préfabriqué: Cathy, James, Brandon, Justin et Vicki, tandis que ceux de Kingsmill continuaient la traque. Chrissie Searle venait de rentrer du village avec un grand panier rempli de petits pains pour le barbecue. Elle confirma qu'on était toujours sans nouvelles de Leanne.

– Réfléchissons, dit James. Quelle serait la réaction normale de Henry dans une situation pareille ?

– Il construirait un nid ! s'exclama Cathy. Voilà ce qu'il ferait. Il ramasserait des brindilles, de la laine de mouton, des plumes. Il se construirait un petit coin chaud, à l'abri du vent.

Elle essayait d'imaginer les faits et gestes de Henry depuis que Justin l'avait lâché dans la haie.

– Allons, allons, ne restez pas là à vous tourner les pouces, dit soudain une voix. Vous ne savez pas que cette malheureuse est toujours dans la nature ?

Une silhouette jaune moutarde traversait le pré à leur rencontre.

– Leanne n'est plus la seule qui manque, madame Ponsonby.

Cathy lui raconta brièvement la disparition du hamster.

– Alors ne perdons pas courage !

Avec une ardeur toute militaire, Mme Ponsonby remonta le moral des troupes.

– Les jumeaux, prenez Brandon avec vous et fouillez les caravanes de fond en comble. Qui sait si Henry n'a pas trouvé refuge au fond d'un duvet ou d'un sac de linge ?

– C'est vrai, approuva Cathy, on n'a pas regardé à l'intérieur des caravanes.

Brandon et les jumeaux partirent exécuter leur mission. Mme Ponsonby se tourna résolument vers Cathy, James et Blackie.

– Vous avez essayé le magasin ? Une vraie caverne d'Ali Baba pour un hamster affamé, non ? Et pendant que vous continuez les recherches, je vais tâcher de me rendre utile !

Elle remonta les manches de sa robe jaune puis s'adressa à Chrissie Searle.

– Chrissie, j'imagine que ce panier contient les victuailles pour le barbecue ?

Elle n'attendit même pas la réponse.

– Hé bien, portez-le à l'intérieur, voulez-vous ? La meilleure chose à faire, c'est de continuer les préparatifs, pour que votre fête d'adieu ait lieu comme prévu.

Elle entra dans préfabriqué d'un pas martial. Cathy écarquillait les yeux.

– Faites ce qu'elle dit ! murmura-t-elle.

Chrissie ramassa le panier à provisions et suivit Mme Ponsonby dans la salle commune. James et Cathy, quant à eux, prirent le chemin de l'intendance, où s'entassaient les boîtes de conserve, les boîtes de céréales, les paquets de biscuits et les casiers de légumes.

– Elle est incroyable, non ? vint leur chuchoter Chrissie après avoir remis le panier à Mme Ponsonby.

Celle-ci s'était mise au travail sans plus attendre. Armé d'un grand couteau, elle découpait les petits pains avec une précision chirurgicale.

– Comment peut-elle être si sûre que la fête aura bien lieu ?

– Je n'en sais rien, mais mieux vaut ne pas discuter, murmura Cathy. Et maintenant, qu'allez-vous faire ?

– Rejoindre Pete et continuer à chercher Leanne. Il est peut-être temps d'alerter la police...

Chrissie sortit, visiblement préoccupée. Mme Ponsonby avait insufflé une énergie nouvelle aux équipes de recherches. Cathy plongea à quatre pattes derrière le comptoir, examina jusqu'au dernier centimètre carré. James grimpa sur une chaise pour inspecter les étagères les plus hautes. Dehors, ceux de Kingsmill arpentait le champ tandis que Vicki, Justin et Brandon continuaient de fouiller les caravanes. Mais aucune trace ni de Henry ni de Leanne.

Zim faisait la lame du couteau sur la planche à découper. Mme Ponsonby s'était installée devant la table de billard, recouverte d'un plastique épais. Un à un, elle sortait les petits pains du panier, les tranchait et les entassait. Zim – ploc. Une pause. Zim – ploc, une autre pause.

– Henry ! appelait Cathy. Sors de ta cachette...

– Il n'est pas ici, soupira James en descendant de sa chaise.

Soudain, dans la pièce voisine, Mme Ponsonby poussa un cri strident. Elle retira vivement sa main du panier, lâcha son couteau et fit un bond en l'air.

– Oh, mon dieu ! Un rat !

Épouvantée, elle s'appuya contre la table.

– Là ! Dans le sac ! Un rat ! Ne le laissez pas sortir !

Cathy et James se précipitèrent dans la salle commune. Mme Ponsonby tremblait comme une feuille, le visage écarlate, les mains croisées sur la poitrine. Ensemble, les deux enfants sautèrent sur le panier et regardèrent à l'intérieur.

– Ce n'est pas un rat ! C'est Henry !

Cathy poussa un cri de joie.

– Henry !

C'était bien lui, les joues bourrées de miettes de pain, le poil couvert de farine, les yeux pétillants.

– Non, c'est un rat ! Dans le panier ! J'en suis sûre !

Le double menton de Mme Ponsonby en tressaillait encore. Son ardeur guerrière s'était envolée.

– Non, regardez ! la rassura James tandis que Cathy prenait Henry dans ses bras. C'est un hamster. Il n'a pas de queue, vous voyez. Et les rats sont gris. Henry est tout doré.

Il examina ses joues rebondies.

– Et il vient de saborder une semaine de régime !

Mme Ponsonby étudia plus attentivement l'animal.

– Je ne suis pas experte en rongeurs... Vous avez sans doute raison.

– Bien sûr, c'est Henry.

Cathy en avait les larmes aux yeux.

– Vous ne vous étiez pas trompée, madame Ponsonby ! Henry a cherché un abri. Il a dû se glisser dans le panier de Chrissie lorsqu'elle l'a laissé un moment dans l'herbe. Et Henry s'est laissé guider par son appétit !

Certaine de ne plus avoir affaire à un rat, Mme Ponsonby se pencha avec intérêt :

– Il est mignon tout plein, reconnut-elle. Tiens, Cathy, donne-le moi, que je le vois de plus près.

Cathy hésita un quart de seconde. Mais elle pouvait difficilement refuser. Avec précaution, elle tendit Henry.

– Tenez-le délicatement sous le ventre. Mettez vos mains en coupe… Un peu plus… Oh !

– Ah, il me chatouille !

Mme Ponsonby retira brusquement ses mains. Henry atterrit à quatre pattes sur la planche à découper et jeta un regard surpris autour de lui. Puis il se carapata vers le coin de table le plus proche.

– Attention !

James eut le réflexe de fermer la porte. Henry descendit tant bien que mal de la table. Il renifla de gauche à droite et zigzagua à travers la pièce.

– Je l'ai ! s'écria Cathy.

Elle avait parlé trop vite. Le hamster fila entre ses mains et disparut sous une autre porte, au gran dam de Cathy.

– Ce n'est pas grave, dit James. Je crois que c'est une sorte de cagibi ou de placard. Il n'y a pas d'autre issue.

Il actionna la poignée.

– C'est fermé à clef !

– Non, la porte a bougé. Elle doit être coincée !

Cathy ajouta son poids à celui de James. Ensemble, ils tirèrent sur le battant de toutes leurs forces.

La porte céda. Quelqu'un apparut dans l'embrasure. C'était Leanne. Pâle, les yeux écarquillés par la peur, les cheveux défaits. Entre ses mains, elle tenait Henry.

La salle commune du camping fut le point de ralliement de tous les participants à la battue. On s'y retrouva dans la bonne humeur, on compara les circuits, on se félicita mutuellement et on échangea des excuses. La bonne nouvelle se répandit jusque dans le village : tout le monde était sain et sauf.

– Et nous sommes prêts pour le barbecue ! annonça Mme Ponsonby.

Elle s'arrogeait tout le mérite de l'heureux dénouement.

– C'était tout à fait normal ! Mais non, ne me remerciez pas !

Radieuse, Cathy souffla à son ami James :

– C'est surtout Blackie qu'il faut remercier. Sans lui, on n'aurait jamais remonté la piste de Justin !

Le labrador et le hamster avaient tranquillement réintégré la maison des Hunter. Pendant que son père fixait un nouveau verrou sur la cage, James avait pesé Henry. Il avait grossi de quelques grammes, mais il était ravi. Après son aventure, il dormait à poings fermés. Mme Ponsonby trônait au centre des réjouissances. Elle fit une nouvelle annonce pour le barbecue, puis signala à tous une silhouette qui approchait du camping.

– Tiens, voilà monsieur Western ! Sam, vous avez certainement entendu la bonne nouvelle !

Sam Western vint se placer au milieu de la joyeuse troupe. Il ne semblait pas très à son aise. Il s'éclaircit la voix avant de prendre la parole :

– Bonne nouvelle, bonne nouvelle… C'est une affaire d'opinion…

– Allons, Sam, nous avons volontiers reconnu notre erreur. M. Parker Smythe a téléphoné à la mairie pour apporter son soutien au camping. Tournons la page. Le passé est le passé, non ?

On aurait dit que Sam Western avait un os de poulet coincé en travers de la gorge.

– Sans doute. J'ai pensé toutefois qu'il était de mon devoir de vous communiquer une autre « bonne nouvelle ».

Il promena son regard à la ronde.

– Je viens de m'entretenir avec Dennis Saville, mon régisseur. Un garçon de ferme est venu le trouver : il a avoué avoir emprunté la Land-Rover en début de semaine, sans aucune autorisation. Il a fait un tour à travers champs, près de la rivière…

Sam Western marqua une pause.

– Plus fort !

On reconnut la voix d'Ernie Bell. Peu à peu, la moitié du village s'était rassemblée dans le pré.

– Je dois préciser que cet employé vient tout juste d'avoir son permis… Enfin bref, il a heurté et cassé deux arbres près des courts de tennis. Voilà !

Sam Western s'arrêta brusquement, embarrassé. Il y eut un autre silence. Puis quelqu'un poussa un cri de victoire. Bientôt tout le monde riait et échangeait des poignées de mains.

– Et j'ajoute une dernière chose, dit Ernie en s'approchant de Cathy. Walter a retrouvé ses géraniums.

Elle crut qu'il lui annonçait un miracle.

– Mais c'est fantastique !

– Pas les mêmes géraniums, bien sûr ! Ne rêvons pas. Walter a de nouveaux pots et de nouvelles fleurs. Son muret est beau comme une carte postale.

– Mais qui les lui a offerts ?

– Madame Platt. Elle considère cela comme un geste de bon voisinage. Elle est allée à Walton cet après-midi et elle a acheté des plants tout neufs. A ce qu'il paraît, elle va se rembourser sur l'argent de poche des jumeaux !

Cathy hocha la tête, songeuse.

– Tu sais, Vicki était sincèrement désolée. Et je crois que Juston l'est aussi, au fond de lui-même.

Elle les chercha du regard, mais ils s'étaient éclipsés.

– Bah, fit Ernie, ils vont le sentir passer dans leur porte-monnaie et ce n'est pas une mauvaise chose, si tu veux mon avis.

Il partit en disant qu'il reviendrait peut-être pour le barbecue.

– Juste pour voir comment ça se passe, grommela-t-il. La cuisine en plein air, ce n'est pas ma tasse de thé !

Ce soir-là, les visages épanouis autour du barbecue illustraient le célèbre adage : « tout est bien qui finit bien ». Le vent avait chassé les nuages et la lune brillait au firmament.

Imogène vint avec ses parents, James avec Blackie. Brandon était accompagné de son frère et de sa sœur. Les McFarlane apportèrent un plein bocal de caramels, les Hardy des boissons fraîches. Bert Burnley, le fermier, sortit de sa besace une nouvelle toute fraîche en provenance de la mairie.

– Les caravanes restent ici jusqu'à la fin de l'été ! annonça-t-il triomphalement.

Adam Hope embrassa Emily et mena le chœur des vivats. Entre ses parents, Cathy avait les maxillaires douloureux à force de sourire. Son grand-père et sa grand-mère se joignirent à la fête. Le village était enfin réuni et réconcilié. Mme Ponsonby, « l'héroïne » du jour, décrivait pour la énième fois le rôle qu'elle avait joué dans le double sauvetage de Leanne et de Henry.

– La pauvre gamine n'avait personne à qui se confier, expliquait-elle à Walter Pickard. Alors elle est allée enterrer son chagrin dans le préfabriqué. Elle était persuadée qu'on allait l'accuser du vol ! Et quand je suis entrée faire les sandwiches, la pauvre gosse s'est cachée dans ce minuscule réduit.

Cathy l'écoutait avec amusement.

– Attendez, murmura-t-elle à ses parents, j'ai une idée !

Elle s'approcha de Mme Ponsonby.

– Au fond, je n'ai qu'un seul regret, dit-elle en contemplant le ciel étoilé.

– Ah oui ? s'étonna Mme Ponsonby, qui pour sa part ne voyait aucune ombre au tableau. Quoi donc ?

– C'est au sujet de Leanne. Elle doit rentrer demain à Birmingham. La pauvre, elle ne peut pas garder d'animaux dans son appartement, et pourtant, elle les adore !

– Hmmm, fit Mme Ponsonby, songeuse.

– Bien sûr, son école pourrait adopter une mascotte, comme nous à Walton. C'est mieux que rien. Mais je crois savoir que Kingsmill n'a aucun animal...

– Hmm...

Mme Ponsonby faisait fonctionner ses méninges.

– Excuse-moi une seconde, ma chère Cathy. Où est cette charmante jeune fille aux cheveux blonds ? Sonia, c'est ça ? Ah, Sonia, te voilà ! Je peux te parler une minute ?

Elle s'éloigna. Cathy était aux anges. Son dernier vœu pour la soirée – trouver un cadeau d'adieu pour Leanne – allait sans doute être exaucé.

Le lendemain samedi, à onze heures du

matin, le minibus de Kingsmill s'apprêtait à partir. La galerie était chargée de sacs à dos. Les enfants s'entassaient dans le bus. Cathy et James, la cage de Henry dans les bras, assistaient à l'embarquement.

– Au revoir ! cria Cathy.

Ben lui fit le V de la victoire en s'installant sur la banquette arrière. Marcie agita les deux mains. Sur le marchepied, Sonia jeta un sourire par dessus son épaule.

– C'était pas si mal que ça, après tout, la campagne !

Paul grimpa à son tour, son ballon sous le bras. Au moment où Leanne venait embrasser ses amis de Welford, la voiture de Mme Ponsonby se gara sur le bord de la route.

Cathy retint son souffle. Mme Ponsonby descendit et sortit de son coffre une grande boîte rectangulaire, recouverte d'un voile blanc. Avec cérémonie, elle l'apporta à Leanne.

– Avant tout, je tiens à te dire que j'ai pris contact avec la directrice de ton école. Elle est parfaitement d'accord pour accueillir Elisabeth. Elle a téléphoné à ta mère et ta mère a aussi donné son accord. Alors n'aie aucune inquiétude de ce côté !

Elle tendit la boîte à Leanne.

– Elisabeth ? répéta celle-ci.

Elle se tourna vers Cathy qui mima la plus parfaite innocence.

– Elisabeth 1ère, expliqua Mme Ponsonby. Tu sais, la fille de Henry VIII...

Elle ôta le voile d'un grand geste théâtral.

Un hamster beige à collerette blanche apparut, blotti dans l'épaisseur de paille qui tapissait sa cage. Ses yeux marrons semblaient immenses. Il frétilla du nez et des moustaches puis s'avança pour saluer la compagnie.

– Elizabeth 1ère..., répéta Leanne.

Elle en restait toute ébahie.

– Je suis allée à Walton ce matin, raconta Mme Ponsonby. Le vendeur m'a assuré qu'elle avait très bon caractère, et qu'elle serait une excellente compagnie pour des enfants.

Mme Ponsonby regarda distraitement vers le minibus.

– Il n'y a qu'un seul petit problème...

Tous les enfants passèrent le cou par la fenêtre pour apercevoir la nouvelle mascotte de Kingsmill.

– Quel problème ? demandèrent-ils en chœur.

– Qui va bien pouvoir s'occuper d'Elisabeth jusqu'à la fin de l'été ?

Cathy aurait juré que Mme Ponsonby venait de lui adresser un clin d'œil. Mais Leanne était trop occupée à contempler le hamster pour s'en apercevoir.

– Leanne ! crièrent ceux de Kingsmill. C'est elle l'experte en hamsters !

Elle rougit, esquissa un sourire, puis des larmes de bonheur emplirent ses yeux.

– Merci, murmura-t-elle à Mme Ponsonby.

Elles tombèrent dans les bras l'une de l'autre.

– Tu devrais surtout remercier Cathy et James.

– Merci, hoqueta Leanne. Pour tout…

Elle emporta la cage dans le bus et fut aussitôt entourée par ses amis qui voulaient voir de plus près leur nouvelle mascotte.

Assise au volant, Chrissie se pencha par la vitre pour saluer Mme Ponsonby.

– Merci, c'est très gentil de votre part. Et nous serons de retour lundi avec une nouvelle tribu. Alors à très bientôt ?

Comme le bus s'éloignait, Cathy remarqua que Mme Ponsonby sortait un mouchoir de dentelles de son sac à main. Elle renifla discrètement et s'essuya le coin de l'œil.

– Dis au revoir, Henry ! s'écria Cathy.

Elle agita la main jusqu'à ce que le minibus

disparaisse au loin. Henry, lui, se démenait comme un marathonien dans sa roue d'exercice.

Restés seuls, James et Cathy descendirent au bord de la rivière. Ils ôtèrent leurs chaussures et trempèrent leurs pieds dans l'eau fraîche. Cathy installa le hamster sur ses genoux. Il gigota un moment avant de se rouler en boule. Elle le caressa du bout des doigts. Peu à peu, elle se laissa aller à la rêverie. A côté d'elle, la rivière gazouillait, Henry ronflait. Elle était parfaitement heureuse.

S.O.S. ANIMAUX 🐾

PARTAGE TA PASSION DES ANIMAUX
AVEC CATHY ET SON AMI JAMES

 ## Qui veut adopter un chaton?
n°1

Quand le concierge du collège de Walton, découvre que la chatte de l'école a choisi sa maison pour mettre au monde ses petits, il entre dans une violente colère et profère même des menaces : Cathy et James n'ont qu'une semaine, et pas un jour de plus, pour trouver un foyer aux quatre chatons…

❝ – Ce n'est pas juste, n'est-ce pas ? Je veux dire, quel mal ont fait ces pauvres chatons ? Ils méritent de vivre comme tout le monde. On ne peut pas s'en débarrasser simplement parce qu'ils ne sont pas nés au bon endroit !

– En plein milieu des plus belles chemises de mon mari, je vous le rappelle ! dit Mme Williams. Mon Eric tient particulièrement à ses chemises. De toute façon, qui a jamais dit que la vie n'était pas injuste ?

– Mais s'il les change de place, ils mourront ! Walton les abandonnera !

– Walton ? répéta Mme Williams.

Elle avait croisé les bras et regardait Cathy de son bon regard franc.

– C'est la chatte. Je l'ai appelée Walton à cause de l'école. Je voulais qu'elle ait l'air d'appartenir à quelqu'un ! Faire comme si elle avait quelqu'un avec une

156

maison, enfin quelqu'un pour s'occuper d'elle! s'écria Cathy.

Et elle éclata en sanglots. Les larmes ruisselaient maintenant le long de ses joues et elle sentit leur goût salé. Elle se rappela comment elle avait trouvé la chatte à demi morte de faim sous le porche de l'école. Puis elle se demanda ce qui lui serait arrivé à elle, Cathy Hope, si Emily et Adam Hope ne l'avaient pas recueillie et n'avaient pas pris soin d'elle. **"**

Un poney en danger
n°2

Susan Collins est une peste. Mais son poney, Prince, inté-
resse beaucoup Cathy! Seulement Susan a décidé de
gagner, par tous les moyens, le concours hippique de la
foire de Walton. Au risque même de mettre en danger la
santé, et peut-être la vie, de sa monture. Cathy et James
pourront-t-ils l'arrêter à temps?

"— Nous pouvons enlever Prince, dit-elle. L'enlever et le cacher jusqu'à ce que les épreuves soient terminées et que papa revienne.

Le speaker donnait le signal pour le rassemblement du deuxième groupe de poneys.

– L'enlever? murmura James.

Cathy fit un geste d'assentiment.

– Eh bien? Qu'en penses-tu? Veux-tu m'aider?

James était l'image même du désarroi.

– Enlever Prince? répéta-t-il.

Cathy approuva de la tête.

– Pour le protéger, dit-elle. C'est le seul moyen.

– Mais nous allons au-devant des pires ennuis, dit James.

– Prince pourrait avoir des ennuis bien plus graves,

dit Cathy. Et s'il avait un malaise pendant le concours ? Et s'il mourait ? Papy dit que c'est ce qui a failli arriver à Marquis. Et Susan est résolue à faire sauter Prince à n'importe quel prix.

James prit une longue respiration.

– D'accord, dit-il. Je te suis. Que faisons-nous ?

Cathy poussa un soupir de soulagement. Elle fit courir sa main sur l'encolure de Prince.

– La première chose à faire est de décider où nous allons le mettre, dit-elle.

– Mais comment allons-nous faire pour l'enlever sans que personne s'en aperçoive ? dit James. **99**

Le Labrador fait du cinéma
n°3

Un film va être tourné à Welford ! Un film dont les principaux acteurs sont des animaux ! Cathy et James assistent avec bonheur au tournage. Mais la principale vedette du film, un labrador noir, disparaît sans laisser de traces.

66 – Super ! s'exclama Cathy, prenant à peine le temps d'avaler sa dernière bouchée avant de quitter la table.

Le cinéma l'avait toujours fait rêver. Et voilà qu'aujourd'hui on allait tourner un film près de chez elle, avec des animaux dans les rôles principaux... La vie était tout simplement magique ! Cathy brûlait d'envie d'assister au tournage.

Elle eut une pensée pour James, son ami de toujours. Comme elle avait hâte de lui apprendre la nouvelle ! Allait-il être aussi enthousiaste qu'elle ? Oh, sûrement, même si d'ordinaire, James préférait rester devant un match de foot à la télé, au lieu d'aller au cinéma.

– Ah… Oui, ajouta Emily, ils ont parlé d'un chien, une des vedettes du film, paraît-il.

– Un chien ? De quelle race ? demanda Cathy.

– Ça, je l'ignore, fit Emily.

Cathy laissa libre cours à son imagination.

– Peut-être un animal mystérieux ? Une histoire à la Sherlock Holmes, comme *Le Chien des Baskerville…* **„**

Les mésaventures du petit mouton n°4

Cathy et James découvrent un agneau nouveau-né aban-donné par sa mère. Ils décident de prendre soin de lui. Mais l'agneau disparaît. Les deux amis parviendront-ils à le retrouver avant qu'il ne soit trop tard ?

„– Papa, papa, nous avons un bébé ?

Jack Spiller serra sa fille dans ses bras et la souleva au-dessus de sa tête.

Cathy ne put s'empêcher de sourire en voyant le père mettre sa fille sur ses épaules et monter vers eux, le chien sur ses talons.

– C'est un garçon ! cria-t-il, en se rapprochant. Un beau garçon et Maggie se porte bien. Très fatiguée mais elle va bien.

Cathy était heureuse, elle contempla les deux agneaux occupés maintenant à téter. Leur petit man-teau de laine blanche avait séché avec la brise et ils res-semblaient à des peluches en coton. Ils agitaient la queue dans tous les sens.

– Je parie que le nouveau bébé est aussi beau que vous, chuchota Cathy aux deux agneaux. **„**

Deux lapins
pas comme les autres
n°5

John, le nouvel ami de Cathy, doit étudier un animal pour l'école. Le voilà qui passe désormais tout son temps dans les champs à observer et dessiner des lapins. Et lorsque deux bébés lapins sont à vendre, le jeune garçon les veut aussitôt ! Mais ceux-ci ont déjà été emportés. Cathy et James, devant sa déception, n'hésitent pas une seconde : il faut retrouver Marco et Polo !

" — Qu'est-ce qu'il se passe ? murmura James.

Ils écoutèrent attentivement, à l'affût du moindre bruit suspect.

— Peut-être que John s'est caché face au vent par erreur et qu'ils l'ont repéré, suggéra Cathy.

Une détonation déchira l'air. Le son aigu et perçant ébranla la colline depuis la corniche. Le cœur de Cathy se mit à battre quand elle reconnut le bruit des fusils des fermiers. Les lapins se dispersèrent aussitôt. Un silence sinistre lui succéda.

Une silhouette se détacha de derrière un rocher. C'était John. Il se mit à courir vers le sommet de la colline. De nouveaux coups de feu éclatèrent.

— John, attends ! s'écria Cathy.

Le vent emporta ses paroles qui se répercutèrent jusque dans le creux de la vallée.

Il détala, aussi rapide qu'un lièvre, sur le terrain accidenté. Un brouillard épais avait succédé à la pluie. Il dissimulait les hommes avec leurs fusils. John ne fut bientôt plus qu'une frêle silhouette qui s'évanouit dans la brume.

— Reviens, tu vas te faire tuer ! hurla Cathy. **"**